P9-DVH-382

LE LION DE BANGOR

Mise en pages : Mégatexte
Photographie de J. Marchessault sur la couverture : Robert Barzel

La publication de cet ouvrage a été rendue possible grâce à une subvention du Conseil des arts du Canada.

ISBN 2-7609-0340-0

1124, rue Marie-Anne Est, Montréal (Qc) H2J 2B7
Dépôt légal — Bibliothèque nationale du Québec, 2e trimestre 1993

Imprimé au Canada

JOVETTE MARCHESSAULT

LE LION DE BANGOR

LEMÉAC

JOVETTE MARCHESSAULT

Née de l'hiver 1938, à Montréal, dans un milieu ouvrier, ce n'est qu'après des années d'itinérance en terre d'Amérique qu'à trente-deux ans, autodidacte, Jovette Marchessault entreprend, à travers la peinture et l'écriture, une quête spirituelle. De 1970 à 1979, elle expose ses tableaux à travers le Québec et aussi à Toronto, New York, Paris et Bruxelles.

En 1975, elle a publié *Le Crachat solaire,* premier volume d'une trilogie romanesque intitulée *Comme une enfant de la terre,* qui lui mérite le prix France-Québec. En 1981 suivra *La Mère des herbes,* et en 1987 le dernier volet, *Des cailloux blancs pour les forêts obscures.* Au théâtre, elle a fait jouer *Les Vaches de nuit* (monologue, 1978), *Les Faiseuses d'anges* (monologue, 1979), *La Saga des poules mouillées* (1981), *La Terre est trop courte, Violette Leduc* (1981, reprise en 1992), *Alice & Gertrude, Natalie et Renée et ce cher Ernest* (1983), *Anaïs dans la queue de la comète* (1985, Prix du Journal de Montréal), *Demande de travail sur les nébuleuses* (1988, Grand prix littéraire de la ville de Sherbrooke), *Le Voyage magnifique d'Emily Carr* (1990, en anglais à Victoria en 1992, Prix du Gouverneur général). Elle a en préparation une nouvelle pièce: *Madame Blavatsky, spirite.*

Le Lion des forêts obscures

Nous avions fait la connaissance du Lion de Bangor en 1987, alors qu'il vivait une première incarnation littéraire dans le roman *Des cailloux blancs pour les forêts obscures*. C'était bien mal le connaître que de penser qu'il allait en rester là, dans les coulisses de ce très beau texte qui amorçait le cycle de la réconciliation dans l'écriture de Jovette Marchessault. C'était en effet sans compter sur son indomptable énergie vitale, qui débordait déjà du personnage à mesure qu'il imposait sa stature et sa parole pendant l'écriture du roman. Le Lion de Bangor voulait se faire entendre, avoir une œuvre à son nom, refaire en quelque sorte l'espace du roman sur scène, faire voir ses souffrances et les rapports douloureux, douloureux jusqu'à une certaine clairvoyance, que son métier de médecin l'amenait à entretenir avec la mort.

Du roman à la scène, l'investigation de la vie que fait Jeanne auprès de Noria, son amour à l'agonie, fille du Lion de Bangor et de son épouse aviatrice, passe par le seuil des initiations ultimes; celles-là seules transforment l'âme humaine en dévoilant les mensonges du monde de la mort. Le parcours du Lion de Bangor à cet égard est celui d'un aveugle qui ouvre peu à peu les yeux, à force de chercher les cultures qui viendront à bout du cancer, trouver la contrepartie invisible de cette soi-disant «nouvelle» maladie mortelle, et de se confronter ainsi aux forces du mal qui habitent les Enfers du cœur humain.

Entre le Lion de Bangor et Jeanne l'écrivaine, une rencontre fondamentale s'amorce, qui se poursuivra au-delà des derniers instants de Noria, car elle a lieu dans les instances occultes de la réconciliation entre les enfants de la terre. C'est à ce sentiment de confiance, qui donnera un jour un sens au parcours humain de maintenant et qui préside aujourd'hui à tout amour désintéressé, que nous convie cette terrible pièce de Jovette Marchessault.

Pierre Filion

CRÉATION

Le Lion de Bangor de Jovette Marchessault a été créé par la compagnie de théâtre l'Aire de jeu, au Théâtre du Parc Jacques-Cartier, à Sherbrooke le 7 avril 1993.

Mise en scène	Guy Beausoleil
Scénographie	Claude Goyette
Conception et réalisation des costumes	Élisabeth Savard
Conception musicale	Michel G. Côté
Conception d'éclairage et direction technique	Jean Francœur
Directeur de production	Réjean Côté
Conception graphique	Dyane Gagnon
Conception de l'image	Lisa Driver
Communications	Diane Breton

PAR ORDRE D'ENTRÉE EN SCÈNE

Brigitte Paquette	Jeanne
Élisabeth Lenormand	Madame A.
	Une Entité des Abîmes
	Harriet
	Mary Lane
Jean Maheux	Monsieur A.
	Le médecin du village
	L'autre Entité des Abîmes
	Le quidam
	Le mari de Mary Lane
	L'homme pressé du baptême de l'air
	Le préposé aux morts
	Le détective d'Atlanta
Lysanne Gallant	Noria
	Mère de Noria
Jacques Jalbert	Lion de Bangor

TEMPS

Celui de la lumière du jour dans les montagnes des Appalaches.

Souvent celui de la neige qui tombe dans la nuit, nous conviant au retour intérieur, aux évocations.

LIEUX

Sur un plateau, dans les Appalaches.

S'y trouve une niche de sang où gisent des chiens torturés par des vivisecteurs.

Cette niche communique avec les Enfers et contient aussi deux bêtes féroces : les Entités des Abîmes qui se nourrissent exclusivement des énergies puissantes mais souvent inaccomplies, dégradées, des protagonistes.

Autour de la niche se juxtaposent la salle d'écriture de Jeanne, le laboratoire du Lion de Bangor et le vieux cimetière d'Atlanta.

DISTRIBUTION

Trois femmes et deux hommes peuvent interpréter tous les personnages.

PERSONNAGES

Le Lion de Bangor, médecin, chercheur du XXe siècle, père de Noria.
Noria, aviatrice, amie de Jeanne et des bêtes.
Jeanne, écrivaine de notre temps, amie de Noria.
Mère de Noria, épouse du Lion de Bangor, aviatrice.
Harriet, aviatrice, présumée amante de la Mère de Noria.
Médecin du village, est un aspect de *l'Ange de la présence.*
Détective d'Atlanta, autre aspect de *l'Ange de la présence.*
Entités des Abîmes, le mal qui émane de nous-mêmes! Elles existent parce que tous les protagonistes sans exception, les hébergent, les nourrissent et se laissent triturer par ces démons dans les zones les plus obscures de leur être.
Monsieur et Madame A. (A. pour Abîmes), couple klaniste qui distribue la littérature haineuse du Ku Klux Klan dans les Appalaches.
Mary Lane et son mari, elle est souveraine de l'empire invisible du Klan, à Atlanta; il est son bras droit.
Et *le préposé aux morts* de la morgue de Bangor...
Et *l'homme pressé* du baptême de l'air...
Et un *quidam* qui répand l'idée de vengeance.

À propos de *l'Ange de la présence :* c'est l'âme elle-même, dont la nature est amour, lumière et compréhension. C'est aussi une expression du Bien cosmique. *L'Ange de la présence* lutte contre les tendances séparatrices de la personnalité, l'intolérance, l'autosatisfaction et l'orgueil nationaliste.

Rédigée en très étroite collaboration avec Guy Beausoleil, *Le Lion de Bangor* est une adaptation libre, inspirée de mon roman *Des Cailloux blancs pour les forêts obscures* publié chez Leméac en 1987.
Je tiens à lui exprimer toute ma reconnaissance pour sa générosité, sa vision éclairée des personnages.

J. M.

Cette pièce est dédiée aux Anges de l'échelle de Jacob

Scène I
Vision de Jeanne

La scène est blanche : les pages d'écriture de Jeanne, la neige du paysage des Appalaches, le chemin des nuages... Aux cintres, est suspendu un rideau blanc peint de visages; plus les visages se rapprochent du sol, plus ils ressemblent à des pages d'écriture.

S'approchant d'une cage en bois d'où partent des gouttières, Jeanne place une main sur la cage qui se met à saigner, à suppurer un liquide rouge qui s'évade dans les gouttières. Comme par osmose, Jeanne devient rouge à son tour et la caisse cesse de saigner. Jeanne ouvre la cage et on entend un battement d'ailes qui s'en va en s'amplifiant comme si des ailes géantes fouettaient l'air. Fin de la vision de Jeanne.

Scène II

L'éclairage change et tout redevient normal en quelque sorte. Il fait jour, deux personnes se tiennent sur un seuil et qui regardent Jeanne : ce sont les Entités des Abîmes, habillées comme monsieur et madame tout le monde.

MADAME A. Sous son ciel de porcelaine, votre maison nous a attirés comme un aimant. Il y a comme ça des maisons qu'on aimerait visiter mieux que d'autres. Vous voulez bien? *Ils entrent.*

MONSIEUR A., *qui admire.* D'ici, on a vraiment une vue imprenable sur les Appalaches, madame.

JEANNE. Jeanne tout simplement. Et vous, qui êtes-vous?

MONSIEUR A. Deux ambitieux! Mais ambitieux pour le bien de l'humanité.

MADAME A. Nous travaillons à ce que l'Amérique retrouve sa grandeur; qu'elle retrouve son assiduité au travail...

MONSIEUR A. Et sa fidélité et sa loyauté envers ceux qui l'ont fondée!

JEANNE. Dans mon dictionnaire, l'ambition consiste à vouloir être plus que ce que l'on est vraiment. Bref, à péter plus haut que le trou!

MADAME A., *s'esclaffant.* Vous êtes comme mon mari: il prend la mesure de chaque mot.

MONSIEUR A. Dans cette société, l'ambition est une chose dépréciée. C'est parce qu'ils manquent d'ambition que les hommes s'embourbent sur des chemins qui ne mènent nulle part!

JEANNE. Vous confondez ambition et aspiration, monsieur. Quand on aspire, on agit intérieurement. Et on ne s'embourbe pas!

MONSIEUR A. Une individualiste! Mais l'individualisme est une prison. Il faut s'évader des prisons!

JEANNE. J'ai mon travail et j'ai mes priorités.

MADAME A. Quel travail? Quelles priorités?

JEANNE. Explorer ce qui n'a jamais été exploré. Ouvrir de nouveaux chemins. Je voudrais insérer de nouvelles pensées dans le monde.

MONSIEUR A. Et la vérité historique? Et l'engagement social, politique? Madame préfère cultiver le potager de l'intuition?

MADAME A., *qui regarde Jeanne avec intensité.* C'est vague, c'est flou, mais... il me semble que je vous connais... Oui! Oui! J'y suis : vous faites partie du cercle secret, du cercle fermé, n'est-ce pas? *(À son mari.)* C'est un écrivain.

JEANNE, *froidement.* J'écris. Mon œuvre est publiée et j'ai une petite renommée.

MADAME A. La renommée n'aide personne à mener une vie saine!

MONSIEUR A. Une grande quantité d'écrivains se suicident. D'autres font des dépressions, consomment abondamment alcools et drogues, sont homosexuels et adorent contempler leur nombril.

JEANNE, *s'emportant.* J'ai l'impression que vous pouvez être aussi nocifs qu'une nuée de sauterelles.

MADAME A., *lui remettant des pamphlets, des prospectus.* Nous sommes d'authentiques machines à diffusion.

MONSIEUR A., *qui rajoute des prospectus, un journal, The Klansman ou Le Klaniste.* Dans des proportions extraordinaires!

JEANNE. Par vous, le mal entre dans nos vies.

MONSIEUR A. Si vous marchez avec nous, nous pourrons, par osmose, attirer sur vous, fortune, pouvoir, Jeanne!

JEANNE. Vous apparaissez sur le seuil de nos maisons pour nous diminuer, nous infliger une perte.

MADAME A. Le Ku Klux Klan travaille le futur!

JEANNE. Ce que vous construisez est voué à l'effondrement!

MONSIEUR A. Nous sommes l'avenir.

JEANNE, *hors d'elle.* Allez-vous-en! Allez-vous-en! *(Ils partent.)*

Scène III

Laissée seule, Jeanne parcourt avec effroi et répulsion la littérature klaniste. Elle froisse et déchire les feuilles au moment où Noria fait son entrée.

NORIA, *qui se méprend sur les gestes et la peine de Jeanne.* C'est encore la littérature qui t'amène au bord des larmes? Elle te fait mal! C'est comme si... elle te passait au feu, la littérature!

JEANNE, *qui a un recul au mot feu.* Son feu est toujours en crise de croissance. Cela peut causer des accidents à faire dresser les cheveux sur la tête!

NORIA, *qui est rassurée par l'attitude ferme de Jeanne se tourne vers le dehors.* Il commence à neiger. La neige m'a toujours donné un sentiment de bonheur et de paix. Elle entretient en moi la volonté de lutter contre l'horreur de notre condition et la réconfortante illusion de pouvoir y changer quelque chose. *(Vers Jeanne silencieuse qui regarde aussi dehors.)* À quoi penses-tu?

JEANNE. Je pense au désir, Noria. Je pense aux jours solitaires que j'ai vécus avant ton arrivée. Ces nuits étoilées se courbent au-dessus des montagnes pendant que les esprits des morts vagabondent sur la terre en racontant tout ce qui adviendra du monde.

NORIA. Voir et entendre vraiment sont une force terrible. Quel genre de mort souhaites-tu?

JEANNE. Je ne veux pas mourir. Je veux continuer à me réveiller le matin en tressaillant de joie à la pensée que tu es là.

NORIA. Vivre est d'une grandeur banale, jusqu'à ce que le froid du nord le plus froid s'installe à l'intérieur de toi.

JEANNE. Alors, vivre est une question de quoi?

NORIA, *enlaçant Jeanne et s'en détachant.* De dépassement. De transformation. *(Elle sort.)*

Scène IV
Vision de Jeanne

Jeanne est seule sous la chute de neige.
Cette vision de Jeanne — la deuxième — est à la fois un monologue intérieur et une prière adressée aux Esprits des Appalaches, à la transcendance, sur un ton parfois incantatoire, comme pour opérer un charme, un sortilège.

JEANNE. La neige neige sa paix blanche et le monde autour de moi continue à se développer, à se défaire, à s'éclairer puis à s'assombrir, essayant d'empiéter sur ce que j'imagine dans ma tête.

Je ne sais plus très bien ce que je veux de Noria. Au commencement je l'ai désirée grandeur naturelle dans ma vie, dans mes bras. Devant elle, je me suis toujours sentie comme une petite fille à l'orée d'une forêt obscure où des secrets radieux préparent des crises puissantes avant de se montrer la face.

Plus tard, je l'ai souhaitée simplement à côté de moi sous l'érable du Manitoba qui s'est enraciné en face de la maison. L'arbre des cent mille bonheurs de vieillir ensemble.

Mais maintenant est un autre temps dans nos vies... Un temps d'hiver et vaguement la peur.

Scène V

Noria est de retour, un verre à la main et légèrement ivre.

NORIA. Quand tu te rends compte que le nord avec ses trésors de froidure, de grêle est devenu ta propre substance, tu frôles l'épouvante.

JEANNE, *qui lui enlève son verre et s'adresse à elle avec une immense tendresse.* Seule une folle peut s'exprimer ainsi.

NORIA. Sais-tu où j'ai contracté cette folie ? Dans les airs, à force de voler à travers les nuages, à travers des limbes maléfiques. À force de croiser des conclaves d'oiseaux de paradis en route vers le jugement dernier. Je n'ai plus l'énergie suffisante pour l'accomplissement de ce que j'aime le plus au monde : voler.

JEANNE. L'énergie reviendra, avec le courage...

NORIA. Le courage! Ça peut faire un joli tas de détritus.

JEANNE. Parfois le courage, ça donne Lindberg au-dessus de l'Atlantique, Alexandra David-Néel traversant les Himalayas à pied!

NORIA. Aurions-nous développé cette agressivité et surtout cette longévité, s'il n'y avait pas mourir au bout?

JEANNE. Tu crois vraiment qu'il n'y a que la peur de mourir qui nous garde en vie?

NORIA. L'amour? Malheureusement nous l'apprenons le plus souvent tel qu'il est inscrit sur les murs des toilettes publiques. J'ai déjà rêvé que des gens venaient frapper à ta porte : c'étaient des informateurs qui avaient fouillé pour toi les archives, les bibliothèques, les traces de mon passé pour rassembler des preuves de mon lesbianisme.

JEANNE. Mais qu'est-ce que j'en ferais de ces informations sur ton passé?

NORIA. Un roman. J'ai la peur de ce qu'on peut écrire sur moi enfoncée jusque dans la moëlle de mes os.

JEANNE. Je ne te veux aucun mal.

NORIA. Je vois tes bras tendus, ta patience...

JEANNE. Je peux faire taire tous mes désirs, si bien que désormais je n'en éprouverai aucun. Mais toi, tu seras toujours une femme traquée!

NORIA. Je suis une femme fatiguée, Jeanne.

JEANNE. Tout est de ma faute : je demande que tu marches devant moi en éclairant le monde.

NORIA. Non. C'est toi qui marches devant en ouvrant les portes. Je me souviens de la première fois que je suis entrée ici : tout était imprégné de pensées, de palpitations, d'ardeur créatrice. Puis, tu m'as invitée à parcourir toutes les pièces de la maison et à en prendre possession comme une chose retrouvée pour toujours et à jamais. *(Se moquant doucement.)* Évidemment, je ne savais pas encore que je contemplais une personne dont le principal satellite est son imagination ! Avoue que pour toi, j'étais déjà un personnage de roman.

JEANNE. Mais c'est ainsi : tout ce qui entoure une écrivaine devient souvent le territoire de son expression. Je prends le premier café du matin avec des bribes de phrases effilochées dans la tête. Je me joue des scènes, je me promène dans l'énergie du monde avec laquelle je converse, m'exaspère et rompt avec fracas. Le temps de recommencer la page... Une page d'écriture, c'est plein de petits feux vitaux capables de donner naissance à des choses grandes et imparfaites.

NORIA, *sursautant, aux aguets.* J'entends un bruit étrange.

JEANNE. C'est le bruit du sang, mon amour. Si je pouvais expliquer...

NORIA. C'est aimer qu'il faudrait expliquer. Écris.

JEANNE. J'ai envie de fumer une cigarette.

NORIA. Fume, fume...

JEANNE. Je vais fumer dehors.

NORIA. Tu vas recevoir une étoile sur la tête.

JEANNE, *qui sort.* C'est ce qui pourrait m'arriver de mieux.

NORIA. Jeanne... Qu'est-ce qui différencie cette nuit de toutes les autres nuits?

Scène VI

Jeanne vêtue de son anorak turquoise est dehors sous la neige qui tombe. Elle met en branle sa propre machine à vision.

JEANNE. Qu'est-ce qui différencie cette nuit de toutes les autres nuits que nous avons passées ensemble, hein Noria? Quand tu regardes le ciel, toi tu vois des étoiles mais moi je vois des mystères, des meurtres. L'étang n'est pas gelé. La tête sous l'aile, les oies dorment. Le blanc des plumes accroche l'œil. Je me souviens de ce renard qui avait égorgé une oie... L'effet hypnotique du sang sur la neige, le sang d'une oie des neiges sur la neige... La procession des taches sanglantes poursuit sa course à l'intérieur de vous. Cela vous demande de vous taire et de vous incliner en entrant dans la maison des morts. (*Bruit et hurlement d'un avion supersonique déchirant l'espace. Cri de Jeanne.*) Noria!

Scène VII

Jeanne revient précipitamment dans la maison et trouve Noria affaissée. Jeanne la prend dans ses bras.

NORIA, *qui résiste et veut s'échapper des bras de Jeanne malgré son épuisement.* Laisse-moi passer. Laisse-moi passer!

JEANNE. Ne pars pas. Tu es ma sœur inexplicable. Tu es ma jeunesse ! Bonjour chère amie de mon enfance ! Comment faites-vous pour vous procurer des jardins enchantés ?

NORIA. Ils sont toujours cachés dans des vallées noyées de brume, séparées des routes visibles par des gorges sauvages et des falaises. *(Qui regarde Jeanne et veut prendre du recul.)* Tu es transparente mais tu es si loin ! Il me semble t'apercevoir depuis mon avion et je me demande si j'aurai la force d'atterrir.

JEANNE, *qui berce Noria dans ses bras.* Tu atterriras. Tu reviens toujours. Dès les premiers mois de ton arrivée dans les Appalaches, je me suis fait tout un roman à ton sujet. Chaque fois que tu partais et que tu revenais, je me demandais : mais pourquoi revient-elle toujours? Elle n'est pas amoureuse de moi et je sais qu'elle ne le sera jamais. C'est ainsi, malgré le scintillement d'une affection profonde et quelquefois trouble. Et comme à chaque fois que tu partais il me fallait survivre, je me suis racontée une histoire : Noria revient à cause de ses morts. Elle vient entonner des cantiques, déposer des fleurs sur les tombes de toutes les pauvres bêtes que nous avons enterrées à l'ombre des bouleaux et des érables, sur le sentier des Appalaches. Elle rend ainsi un culte à ses grandes ancêtres car dans sa genèse, tous les règnes de la Terre se sont engendrés mutuellement et c'est le règne animal qui, un jour, commença à nous imaginer comme un idéal possible, avant de nous mettre bas sur la Terre promise.

NORIA, *faisant un effort pour parler.* Et le quatrième règne, à son tour se met à inventer le futur, à imaginer un nouvel idéal possible. Dans plusieurs millénaires, quand nous aurons engendré le cinquième règne, ce sera à notre tour d'être des ancêtres. Qui sait si ce nouveau règne se souviendra de nous quand il racontera des histoires et des contes de lui-même à ses enfants. Laisse-moi passer...

JEANNE. Ne meurs pas! Ne meurs pas! *(L'éclairage baisse et dehors on voit la neige tomber dans la nuit.)*

Scène VIII

Jeanne est au chevet de Noria... ainsi que l'Ange de la présence sous les traits du médecin du village.

JEANNE. J'avais oublié votre présence...

LE MÉDECIN. Je n'ai jamais vu quelqu'une d'aussi impalpable.

JEANNE. Ouvre les yeux Noria. C'est un beau matin froid dans l'hiver, un de ces matins où il n'y a qu'à se lever pour dire oui à tout. Mon amour, nous naviguons dans les eaux du futur.

LE MÉDECIN. Elle ne lutte pas.

JEANNE. L'hôpital alors? Les soins intensifs?

LE MÉDECIN. Elle n'y arriverait pas vivante.

JEANNE. Mais vous devez la sauver, extirper la maladie! Les gens du village disent que vous avez des mains qui voient, des yeux qui touchent.

LE MÉDECIN. Vous avez bien fait d'approcher son lit de la fenêtre. Aujourd'hui, la lumière traverse enfin la voûte des nuages et, comme à chaque fois, il nous semble que les montagnes n'ont jamais été aussi belles.

JEANNE. Es-tu encore à l'affût des lumières de la terre? Qu'éprouves-tu? Une ascension? Une chute?

LE MÉDECIN. L'Ange qui la porte, chante en elle. Elle prend de la hauteur.

JEANNE. Est-ce vraiment indispensable de se mêler de cette dramaturgie? De toutes ces âmes pleines de comédies et de tragédies?

LE MÉDECIN. Fatigant... mais indispensable. Et puis, que voulez-vous faire d'autre sur la Terre? Ce qui nous veut seul nous veut aussi parmi les autres. Il est temps de prévenir ses parents. *(Il sort.)*

JEANNE. Je ne peux pas rejoindre ta mère qui, depuis longtemps, fait la planche sur le fleuve des morts... Mais ton père... Où est ton père? Il te doit d'être là s'il est vraiment ton père! J'entends beaucoup de pleurs... où sont les pères? Il y en a qui disent que les pères habitent un flanc de montagne qui plonge dans l'invisible... Qu'ils ne voyagent que la nuit sur des rubans d'étoiles qui ressemblent à des rails... Qu'ils sifflent comme des locomotives... Et quand ils passent, arqués d'or, nos maisons d'écailles, de plumes et de peaux humaines tremblent. C'est une vision qui s'ouvre en deux.

Scène IX

Jeanne est plongée dans une vision intérieure. Surgissent des abysses de la boîte ensanglantée, deux Entités des Abîmes qui l'interpellent... C'est toujours le couple du KKK.

L'ENTITÉ DES ABÎMES. Le sang est le plus beau théâtre. Et le chien est l'animal favori de l'expérimentateur chirurgical.

L'AUTRE ENTITÉ. Même le plus maladroit des vivisecteurs peut découper une chienne sans la tuer.

L'ENTITÉ DES ABÎMES. Messieurs, je réclame votre attention : voici une expérience qui est un classique... Néanmoins elle est fort amusante ! Il s'agit de comparer les niveaux de tension électrique adéquats pour électrocuter un chien tendu, stressé... Et un chien détendu.

L'AUTRE ENTITÉ. Pourquoi? Pour faire des économies d'énergie ?

L'ENTITÉ DES ABÎMES. En effet ! Nous pouvons prouver qu'il faut dépenser moins d'énergie pour tuer un chien stressé... Mais, mais, on dirait qu'un de mes confrères a eu besoin d'un œil ! Qu'on m'amène un chien qui a ses deux yeux !

JEANNE. Ou un singe, un chat, une souris, un lapin. Cinq milliards d'animaux suffiront-ils?

L'ENTITÉ DES ABÎMES. C'est un chiffre assez conservateur... à moins d'y ajouter vingt millions de tortues !

JEANNE. Sait-on si les tortues rêvent?

L'AUTRE ENTITÉ. Un peigne d'écaille ne rêve pas.

NORIA. J'étais une Beagle, je suis morte de faim : ils ont mis au point sur moi, une nouvelle variété de régimes amaigrissants. J'étais un Berger de Beauce. Je gardais vos troupeaux, votre maison. De mon seul regard, je faisais reculer vos ennemis. Les psychopathes des laboratoires m'ont cousu une cinquième patte sous la peau...

L'ENTITÉ DES ABÎMES. C'était par curiosité!

L'AUTRE ENTITÉ. C'était pour le plaisir!

JEANNE. Qui êtes-vous? Que faites-vous ici avec moi? Je n'ai commis aucun crime.

L'ENTITÉ DES ABÎMES. Alors consultons le miroir de tes actes!

L'AUTRE ENTITÉ. Je te vois dans toutes tes mutations... fécondité inépuisable.

L'ENTITÉ DES ABÎMES. Qui est donc cette femme violente dans ses pensées qui parcourt fiévreuse, avide, le monde, en se détournant frileusement des souffrances d'autrui?

JEANNE. Je vais réduire ce miroir en miettes.

LES ENTITÉS DES ABÎMES, *simultanément.* Jeanne, Jeanne...

L'ENTITÉ DES ABÎMES. Une nuit, tu as rêvé qu'on te dépouillait de ta chair... Qu'on te dépeçait après avoir pesé toutes tes actions impures avec des cailloux noirs, et les autres, avec des cailloux blancs. Tu t'es réveillée complètement terrorisée et tu as couru dehors, vers les maisons de tes chères amies, les grandes « dykes », les grandes chevalières...

JEANNE. Je voulais demander un peu de réconfort. J'allais frapper quand j'ai entendu des bruits alarmants derrière la porte... Des cris... des coups... *(Refusant de poursuivre, elle se bâillonne elle-même la bouche.)* Non ! Noria, notre royaume est intact. Mon amour, il nous reste les Andes et la Terre de feu, les Appalaches et la forêt boréale !

L'AUTRE ENTITÉ. Il n'y a plus de royaume.

L'ENTITÉ DES ABÎMES. Les agents immobiliers en ont fait des condominiums et des parkings.

JEANNE. Sur le sentier des Appalaches, de grands esprits œuvrent dans l'éternel devenir. Nous serons sauvées !

L'ENTITÉ DES ABÎMES. Tout le monde veut être sauvé...

L'AUTRE ENTITÉ. Pensée réconfortante... Aucune responsabilité...

Scène X

Le Lion de Bangor et Jeanne sont seuls.

LION DE BANGOR. Vous êtes Jeanne.

JEANNE. Qui êtes-vous?

LION DE BANGOR. Je suis le père de Noria. J'ai voyagé toute la nuit dans une tempête de neige.

JEANNE. Le Lion de Bangor ! Comment avez-vous su pour Noria?...

LION DE BANGOR. Mais je suis son père. Je lui dois bien ça ! Comment va ma fille ?

JEANNE. À chaque instant qui passe, elle s'en va un peu plus loin. Quelle est la cause de tout cela?

LION DE BANGOR, *penché sur sa fille, il lui embrasse les mains.* La mort.

JEANNE, *qui se retient pour ne pas hurler.* Le monde est inondé de mort.

LION DE BANGOR. Le monde est inondé de visions.

JEANNE. Votre fille est un mystère.

LION DE BANGOR. Et vous, Jeanne, qui êtes-vous?

JEANNE. Une personne qui est capable de porter des jugements dévastateurs sur tout le monde et sur elle-même. Et vous, qui croyez-vous être?

LION DE BANGOR. J'habite une nuit de l'âme où je me débats.

JEANNE. Pour exercer votre métier, il faut avoir un goût indéniable pour l'enfer des corps?

LION DE BANGOR. C'est vrai que la médecine est violente et qu'elle conduit trop souvent à l'indifférence aux douleurs des autres.

JEANNE. Mon métier à moi est plein de poudre aux yeux et de mises à mort.

LION DE BANGOR. Pourquoi l'exercez-vous?

JEANNE. Pourquoi persistez-vous dans ce rôle de voyeur en matière d'agonie, d'excrétions et de suppurations?

LION DE BANGOR. Je n'exerce plus mon métier comme je l'exerçais jadis. J'essaie de laisser passer le meilleur de moi-même.

JEANNE. Quand je crois ne servir à rien, mon métier console quand même un peu. Je suis juste assez corrompue pour faire taire mes scrupules.

LION DE BANGOR. Avez-vous l'impression d'affronter un adversaire en moi ?

JEANNE. Votre apparition... Votre air de nulle part... Cette espèce de fatalité qui semble vous pousser en avant... Le Lion de Bangor ne pourra jamais pénétrer mon cœur !

LION DE BANGOR. Vous en êtes à un point de crise. C'est presque inévitable...

JEANNE. Inévitable ? Comme votre présence ici ?

LION DE BANGOR. Je suis une pierre qui roule sans trouver de repos.

JEANNE. Comme je souffre d'un excès presque chronique d'apitoiement sur moi-même, il ne me reste plus rien pour les autres !

LION DE BANGOR. Pourquoi tenez-vous à vous noircir ? N'avez-vous pas offert affection et hospitalité à ma fille alors que nulle force ne vous y contraignait ?

JEANNE. C'était un geste égoïste, une affection grossière et impure. Je prostitue tout à la littérature. D'ailleurs je trouve que vous en savez beaucoup trop. Depuis combien de temps rôdez-vous autour de notre maison ?

LION DE BANGOR. Si je rôde, comme vous le dites, c'est paré de clochettes autour du cou.

JEANNE. Êtes-vous la police de la police, celle qui fonctionne jour et nuit? Ou membre de la grande suprématie blanche, qui cache son âme mangée par la vermine, derrière une cagoule blanche?

LION DE BANGOR. Je ne suis pas armé et tous mes uniformes ont été brûlés.

JEANNE. Brûlés par qui? Par vous-même, dans un grand geste théâtral!

LION DE BANGOR. Brûlés par la vie. Vous me jugez à travers le miroir déformant de votre milieu.

JEANNE. Mon milieu lesbien? Enfin nous y voilà!

LION DE BANGOR. Tous les milieux sont déformants. Votre milieu n'est pas plus déformant qu'un autre. Chaque milieu s'abreuve à l'océan d'une expérience commune et partagée tant qu'il s'agit d'expériences relativement simples et surtout, maintes et maintes fois répétées.

JEANNE. Alors, quand il en va autrement, que les êtres et les événements n'entrent pas dans le cadre d'une expérience familière?

LION DE BANGOR. C'est l'enfer. Nous broyons et nous sommes broyés. *(On entend, jouée à l'orgue, une musique ascendante.)* L'entendez-vous?

JEANNE, *se bouchant les oreilles.* Je ne veux pas l'entendre.

LION DE BANGOR. C'est la chanson, Jeanne. C'est la chanson.

JEANNE. C'est le vent qui pleure !

LION DE BANGOR. Il ne pleure pas, il porte la chanson que tous les morts chantent. Elle est faite de toutes les paroles aimantes prononcées depuis le commencement des temps.

JEANNE, *au Lion de Bangor, après qu'il ait sorti de sa mallette un jeu d'ampoules orangées par lesquelles il remplace les ampoules ordinaires.* Pourquoi faites-vous cela ?

LION DE BANGOR. C'est une couleur qui facilite la concentration et oriente l'énergie vitale vers un chemin ouvert.

JEANNE, *atterrée.* Toute possibilité de rétablissement est donc définitivement écartée. Un jour Noria m'a dit : j'avais à peine quelques heures quand mon père s'est penché sur moi. J'ai eu d'abord un sentiment de curiosité... Puis j'ai craint que cette bête solaire absorbe toute mon énergie. Lion de Bangor, que faites-vous de votre vie ?

LION DE BANGOR, *stupéfait de la question, il semble basculer dans le temps.* Il y a longtemps, une femme est entrée dans mon cabinet de consultation et m'a posé la même question.

Scène XI

Trente ans plus tôt, dans le cabinet de consultation du Lion de Bangor. Une femme — qui deviendra la mère de Noria — entre en boitant et découvre sa cheville.

MÈRE DE NORIA. Quelqu'un m'a dit que vous avez un baume qui fait des miracles.

LION DE BANGOR. On raconte tant de choses. *(Examinant la cheville)*. Vous avez une entorse. Une douloureuse entorse. *(Il applique un baume et lui masse la cheville.)* Les tissus reprennent déjà une couleur normale. Vous n'êtes pas de Bangor?

MÈRE DE NORIA. Je suis de toute l'Amérique avec les boues de l'Orégon et du Missisipi et les claires nuits des déserts de la Basse-Californie.

LION DE BANGOR. Puis-je vous demander ce que vous faites dans cette ville?

MÈRE DE NORIA. J'ai vu dans un journal de New York la photo d'une femme qui a été étranglée et lacérée de coups de couteaux dans une impasse à Bangor.

LION DE BANGOR, J'ai lu cet article: on ignore son identité. Elle est dans un placard à la morgue depuis des mois. Personne ne réclame le corps.

MÈRE DE NORIA. Même la mort a perdu le nom de cette femme. Un jour, dans une ville de l'Ouest, j'ai réclamé le corps d'une femme qui était à la morgue depuis cinq mois.

LION DE BANGOR. Son cadavre devait être noir. Les morts noircissent en se décomposant.

MÈRE DE NORIA. C'est ainsi : à la naissance nous sommes tous blancs et dans la mort nous sommes tous noirs.

LION DE BANGOR. Après des années, on ne sent plus rien, que l'humus, l'engrais.

MÈRE DE NORIA. À Chicago, Denver, Atlanta, Little Rock, Santa Fé, noires et blanches, rouges ou jaunes, elles ne sont jamais réclamées. Des femmes mortes de froid dans la neige. Des femmes mortes de faim. D'autres mortes folles de terreur, à force de violence. Toutes ces femmes qu'on jette dans les fours d'acier de l'économie en crise ! Ça pue une irrespirable crémation.

LION DE BANGOR. Nous sommes les descendants de tant de tueurs.

MÈRE DE NORIA. L'homme primitif est encore là, en train de ramper et de courir à ras de terre, horriblement violent et meurtrier. Être une femme semble constituer une incitation légitime au viol et au meurtre. *(Regardant sa cheville.)* La douleur s'est complètement estompée.

LION DE BANGOR. Mais qui êtes-vous ?

MÈRE DE NORIA. Une mendiante. Je mendie pour les mortes. Juste quelques pièces de monnaie pour acheter une couverture dans laquelle je les envelopperai avant qu'on les précipite dans la fosse commune. Quelques pièces et j'entonne, en votre nom, un chant de résurrection. *(Ils se regardent intensément.)* Que faites-vous de votre vie ?

LION DE BANGOR. Je m'insinue dans le cortège des malades, avec des philtres guérisseurs, des baumes et des radiations.

MÈRE DE NORIA. Les ténèbres de la pensée humaine doivent vous sembler insupportables ?

LION DE BANGOR. Au contraire ! Elles me donnent une énergie supplémentaire. Je suis un cultivateur de cellules, qui cherche la contrepartie invisible de cette soi-disant nouvelle maladie mortelle que l'on nomme aujourd'hui cancer. Mes recherches me permettent de m'initier à une observation de plus en plus profonde, large, de la vie. Parfois...

MÈRE DE NORIA. Parfois?

LION DE BANGOR. D'une façon fugitive, j'aperçois une extraordinaire réalité. Mais on dirait que les cellules de mon cerveau ne sont pas assez éveillées ou assez nombreuses pour la saisir. Cependant, chaque fois que je vois un aéroplane s'élever dans le ciel, je me dis que nous avons vaincu la loi de la gravitation et que cela augmente la vitalité humaine.

MÈRE DE NORIA. Moi aussi, je crois que nous sommes au diapason de l'univers d'une manière plus intense. *(Elle veut partir.)* Je peux marcher...

LION DE BANGOR. Vous ne pouvez pas partir maintenant. Où allez-vous?

MÈRE DE NORIA. Là où je me rendais quand je me suis foulée la cheville : à la morgue de Bangor, ensuite au cimetière. Demain je partirai pour une autre ville, une autre morte...

LION DE BANGOR. Je viens avec vous.

MÈRE DE NORIA. Je ne pense pas...

LION DE BANGOR. Vous êtes une reine en état de passion, une apparition qui danse dans le cercle magique de la vie alors que moi, je suis la fourmi qui monte et retombe. J'irai où vous irez !

MÈRE DE NORIA. Je ne pense pas que ce soit souhaitable.

LION DE BANGOR. Pourquoi pas ? Je peux, moi aussi, aller chez les morts et les aimer, leur donner une sépulture. Vous êtes blessée, vulnérable et je me sens mêlé à tout ça d'une étrange façon.

MÈRE DE NORIA. J'ai soudain l'impression que nous sommes tissés sur la même trame d'un projet commun. Qu'allons-nous faire ?

LION DE BANGOR. Nous allons faire en sorte que cette rencontre ne prenne jamais fin.

MÈRE DE NORIA. Êtes-vous un père ?

LION DE BANGOR, *qui bascule en arrière, bouleversé par la question.* Je suis souvent traversé par une puissante radiation et j'entends alors, venue de très loin, la voix d'une enfant qui me parle à travers cette énergie radieuse.

Scène XII

Dans la continuité de la rencontre entre Jeanne et le Lion de Bangor près du lit d'agonie de Noria.

JEANNE. Un an plus tard, votre fille était dans vos bras.

LION DE BANGOR. Qu'est-ce que Noria vous a dit de moi ?

JEANNE. L'origine de votre surnom : jeune homme vous étiez célèbre dans toute la Nouvelle-Angleterre pour votre intrépidité, votre force physique et votre courage. Depuis l'ère victorienne, on raffole de ce genre de personnage !

Votre père qui était très riche, vous donna tout l'argent nécessaire à la mise en chantier du plus moderne cabinet médical de la Côte-Est.

LION DE BANGOR. Mon père était un vrai bandit. Dans le monde de la finance et de la politique, on dit un bâtisseur d'empire. Il avait fait fortune en acculant à la faillite la plupart des sociétés d'aviation d'Amérique du nord. Son triste travail prit fin quand la Bourse explosa en 1929. Le drapeau américain soigneusement plié sous le bras, il évacua son âme malade par la plus haute fenêtre d'un gratte-ciel. Qu'est-ce que Noria vous a dit de sa mère?

JEANNE. La première fois que Noria m'a parlé de sa mère...

Scène XIII

Noria apparaît au pied d'une pente qui ressemble à l'aile d'un avion ou d'un ange. Elle se tient debout à l'extrême pointe de l'aile comme pour une acrobatie aérienne.

NORIA. Ce jour-là, je naviguais au-dessus du sentier des Appalaches me dirigeant vers l'extrême nord du Maine quand surgissent tout à coup des nuages de neige dans un ciel de résille noire. En une seconde je suis engluée dans des nuages en arrêt. L'aiguille du thermomètre se rapproche du cent degré et je n'arrive plus à cabrer l'aéroplane pour voler plus haut. Toutes les lumières du tableau de bord s'allument en rouge car l'avion se met à reculer dans l'air.

J'enfonce le manche. Je coupe les gaz. À demi assommée je tombe. Soudain, sous le petit avion, je vois apparaître les forêts du Maine. J'ai fait une chute de près de 3 000 mètres et le moteur s'est arrêté.

Je vire sur l'aile et j'ouvre les gaz avec la manette auxiliaire. Le moteur reprend. J'ai l'impression que mon centre de gravité est dans les pales de l'hélice qui essorent l'air. J'incline le Spad pour prendre de l'altitude. Devant, une montagne arrive avec ses parois infranchissables. Soudain, la radio de bord se met à siffler... Puis à rugir...

Activité vibratoire insensée... Réception impossible. Message inaudible... Mais quelqu'un essaie de synchroniser autrement ! Quelqu'un perfectionne l'appareil émetteur... Une flèche de feu me traverse la tête quand j'entends la voix de ma mère morte il y a longtemps, si longtemps...

JEANNE, *jouant à être la voix de la mère de Noria.* Tout droit Noria ! Tout droit vers les cimes !

NORIA. Mais les murailles se rapprochent, elles sont infranchissables !

JEANNE. Tout droit ! Tout droit !

NORIA. Vers la gauche, je vois un corridor de la couleur d'une raie bleue... Il y a un passage !

JEANNE. Non ! C'est une impasse. Vers les cimes, tout droit !

NORIA. Mère, je n'en reviendrai pas.

JEANNE. Il y a une brèche. Tu vas passer !

NORIA. Je la vois, là, devant moi, la muraille est fendue en deux... Je m'engage dans ce passage... qui semble s'ouvrir comme la rose des vents. Au bout des ailes, l'attrait du vacuum... La radio de bord est maintenant silencieuse. J'ai encore le cœur dans la gorge, mais je plane, mettant à profit les douces ascendances de l'air. Devant moi, tout le champ visuel du sentier des Appalaches, balisé en bleu. Des chutes, des cascades, des lacs taillés dans le ciel et les plus belles forêts de toute l'Amérique. Je n'ai presque plus d'essence... Je change de destination...

Scène XIV

JEANNE. Noria volait vers moi. C'est par l'avion qu'elle est entrée dans ma vie.

LION DE BANGOR. C'est par l'avion que ma femme et ma fille sont sorties de ma vie.

JEANNE. De sa matière rayonnante, l'aéroplane animait tout le ciel et le soleil jetait des éclairs froids sur ses ailes argentées. C'était beau comme une naissance... L'appareil roulant sur les herbes qui se couchent... L'aviatrice mettant pied à terre... Je me suis approchée d'elle et du petit avion comme on s'approche de quelqu'un ou de quelque chose qui va, on le pressent, faire toute la différence dans l'histoire future de votre vie. Noria m'a regardée puis elle a sorti les boîtes. Elle les a ensuite placées à mes pieds. J'ai pensé que j'avais des droits sur ses boîtes. Je suis vieille et rusée.

LION DE BANGOR. Jeanne, qu'espériez-vous trouver dans ces boîtes? Des poudres d'évasion?

JEANNE. Et un moyen de faire fortune rapidement par la connaissance d'un chemin sûr pour la contrebande. Tout pour l'action, même si elle est débile?

LION DE BANGOR. Mais après avoir regardé dans les boîtes, après avoir vu ces chiens sous forme de tas de sang et d'os broyés, à peine identifiables dans leur essence de chien...

JEANNE. J'ai pensé à presser mon visage contre ces bêtes et à me laisser aller très loin. J'ai pensé que nous étions les créateurs de toute l'horreur, de toute la douleur. À partir de ce jour-là, sur le sentier des Appalaches, j'ai accueilli, j'ai soigné ces chiens qu'elle arrachait aux laboratoires des universités, des compagnies de produits de beauté, de produits pharmaceutiques, hauts lieux de la mutilation. Quelques chiens ont survécu mais la plupart du temps j'ai demandé qu'on abrège les souffrances par une injection. *(Jeanne retourne auprès de Noria.)*

LION DE BANGOR. Le nombre de sentiers qui partent de nous pour nous mener à la compassion pour tout ce qui existe est infini. *(Désignant Noria.)* Ce qui cherche à se dérober, faut-il le retenir ?

JEANNE, *à la forme agonisante.* Ne l'écoute pas mon amour ! Rêve. Rêve que tu voles comme en ces temps d'innocence où voler exigeait un pouvoir mystérieux et un talent ineffable pour s'élancer vers les étoiles dans un appareil dont le moteur calait en plein ciel. Aéroplane, coucou, cage à poule, voiture en flèche.

LION DE BANGOR. Hélices peintes en dent de scie, odeurs d'huile de ricin, d'essence et de vernis...

JEANNE. Rêve à toutes ces pages qui manquent à l'histoire de l'aviation. Rêve à ta mère...

LION DE BANGOR. Cette femme unique, attachante !

JEANNE. Rêve à toutes celles qui après avoir volé au-dessus des océans et des nuages devaient subir au sol des attitudes et des critiques humiliantes !

LION DE BANGOR. Une femme égoïste, dure, puérile ! Une actrice qui transformait en scène de théâtre son désir d'autonomie et de liberté.

JEANNE. Rêve à celles qui sont allées troubler la rêverie des grands condors de la Cordillère des Andes...

LION DE BANGOR. Une vie d'enfer dans des hangars remplis de valises, de cordes de remorquages, de cambouis, de hurlements. La nuit, elle dort avec notre petite fille sous des couvertures minces comme du papier dans la puanteur de l'huile des moteurs. Elle a forcé Noria à grandir au pied des hélices !

JEANNE. Je n'accepterai jamais la mort de Noria.

LION DE BANGOR. La fatalité de l'impermanence s'attache à tout ce que le soleil éclaire, Jeanne.

JEANNE. Dans ce pays, on ne croyait pas aux femmes aviatrices. Pourtant elles apprenaient à voler...

LION DE BANGOR. Le plus souvent en s'associant...

JEANNE, *ironique.* En s'associant ou en épousant ?

LION DE BANGOR. En épousant un homme tissé du même désir.

JEANNE, *incrédule.* Et alors la guerre des sexes se saborde ? Tout devient facile, simple ?

LION DE BANGOR. Il y a toujours des conflits... Mais il y a aussi le plaisir d'imaginer les exploits qu'on accomplira ensemble, la gloire qu'on pourra partager.

JEANNE. Mais on peut aussi bien recevoir le coup de grâce !

LION DE BANGOR, *troublé.* À quoi faites-vous allusion ?

JEANNE. À ce lien terrible qui existe entre une femme et un homme.

Scène XV

Le Lion de Bangor et sa femme sont en présence l'un de l'autre... alors surgissent les Entités des Abîmes pour jeter de l'huile sur le feu.

L'ENTITÉ DES ABÎMES. Quand deux êtres humains authentiquement créateurs.

L'AUTRE ENTITÉ. ... S'unissent par les liens du mariage...

L'ENTITÉ DES ABÎMES. ... Cela peut devenir d'une intensité difficilement supportable ! Comme marcher sur le feu...

L'AUTRE ENTITÉ. Ou s'enfoncer dans des sables mouvants !

L'ENTITÉ DES ABÎMES. Une femme qui dit aimer son mari ne devrait pas s'opposer à la progression de son travail ! La véritable hiérarchie des valeurs c'est lui qui l'incarne !

L'AUTRE ENTITÉ. Une femme ne devrait jamais perdre le sens du devoir : même en-dessous des couvertures !

L'ENTITÉ DES ABÎMES. S'il ne reprend pas immédiatement le commandement, elle va transformer ce mariage en cirque ambulant !

MÈRE DE NORIA. Tu te lèves la nuit en te cachant pour fouiller dans mes papiers, dans mes affaires.

LION DE BANGOR. C'est parce que j'ai l'impression que tu tires tes meilleures idées de ma propre substance.

MÈRE DE NORIA. Tu ne crois pas en moi, en mon talent, à ma volonté de création. *(Elle regarde l'avion qui est dehors.)*

LION DE BANGOR, *s'interposant.* Cesse de regarder cet avion !

MÈRE DE NORIA. Je le regarde comment ?

LION DE BANGOR. Comme on regarde un animal sauvage dont on n'ose pas s'approcher et qui vous donne les plus beaux battements de cœur du monde. Tu me donnes la chair de poule !

MÈRE DE NORIA. Ce n'est pas par hasard qu'il a échappé aux créanciers de l'empire financier de ton père, ce petit avion... À demi-couvert d'une bâche, il repose au bout du pré... Il attend...

LION DE BANGOR. Tous les jours je te vois te rapprocher de lui avec Noria dans les bras... Moi, je ne peux plus m'approcher de toi...

MÈRE DE NORIA. Tu veux me presser contre toi jusqu'à me broyer.

LION DE BANGOR. Je ne devrais jamais quitter mon laboratoire : c'est dans son silence que je m'incarne le mieux.

MÈRE DE NORIA. Dans ton laboratoire, rien ne donne d'écho. Avant notre rencontre, tu rêvais le rêve de la création de la vie dans ton petit univers de cultivateur de cellules. J'ai réveillé le « bel » au bois dormant pour le faire plonger tête première, dans la vie.

LION DE BANGOR. Je suis fasciné par le déclin et la déchéance du corps humain.

MÈRE DE NORIA. C'est l'ambition qui te gouverne. Être le premier ! Être couronné par tes pairs !

LION DE BANGOR. Hypocrite ! Tu es aussi ambitieuse que moi. Tu voudrais être la seule à concevoir le Futur mais je suis sur tes talons.

Les Entités des Abîmes se manifestent à nouveau.

L'ENTITÉ DES ABÎMES. Chaque mot chante sa petite musique d'érosion !

L'AUTRE ENTITÉ. Il est trop mou avec elle !

L' ENTITÉ DES ABÎMES. Il n'est pas à la hauteur de ce qu'il préconise !

L'AUTRE ENTITÉ. C'est un mauvais mariage !

L'ENTITÉ DES ABÎMES. Un très mauvais mariage !

LION DE BANGOR, *s'avançant vers sa femme.* Tu veux cet avion ? Je te le donne. Il est à toi.

MÈRE DE NORIA, *qui va s'élancer vers l'extérieur.* Tu me remets au monde. Merci. L'aviation n'est que le commencement, Noria ! Nous verrons des prodiges et des merveilles.

LION DE BANGOR, *laissé seul.* Puisse cet avion ne jamais nous séparer.

(Plus tard. L'éclairage a changé.)

LION DE BANGOR. On dirait que tu fais exprès de prolonger les heures de vol d'apprentissage...

MÈRE DE NORIA. Si tu savais comme là-haut, tout est différent : l'air est en feu et ça embrase la peau tandis que le cœur, lui, pétri par l'altitude, déclenche l'alerte...

Plus tard, beaucoup plus tard...

LION DE BANGOR. Maintenant que tu as ton brevet, un simple vol ne suffit plus ?

MÈRE DE NORIA. Un simple vol ne leur suffit plus. Il leur faut des acrobaties aériennes de plus en plus périlleuses et spectaculaires. Aujourd'hui j'ai volé entre des lignes de haute tension ! J'ai été la seule...

LION DE BANGOR. Tu prends des risques inutiles.

MÈRE DE NORIA. Le seul moyen que j'ai de freiner cet appareil, c'est d'appuyer sur les pneus du train d'atterrissage avec mes mains gantées.

LION DE BANGOR. Tu abandonnes ta fille ! *(La mère de Noria hésite un bref instant et s'élance dehors.)*

(Plus tard, beaucoup plus tard.)

LION DE BANGOR. Tu m'abandonnes !

MÈRE DE NORIA. C'est par la force des choses. Il y a en moi des singularités que j'ignorais.

LION DE BANGOR. Des singularités ?

MÈRE DE NORIA. Dans mes vrilles, mes piqués, j'entretiens des échanges avec l'air, avec le feu, avec les nuages. Je n'entends rien à la grande musique que tu aimes tant... Mais la musique des hélices, du moteur, je la comprends mieux que les meilleurs musiciens.

LION DE BANGOR. De quoi ou de qui relèvent-elles ces singularités? *(Silence de la Mère de Noria).* C'est la première fois de ma vie que je m'attache à une femme qui provoque à la fois mon désir et ma colère. J'étais heureux avant ton arrivée... Je me suis agenouillé à tes pieds parce que de toi sortaient les mots les plus rayonnants que j'eusse jamais entendus.

MÈRE DE NORIA. Quoi qu'il arrive, si un jour, je m'allonge encore auprès d'un homme, ce sera près de toi. *(Elle sort, laissant le Lion de Bangor bouche bée.)*

Scène XVI

Assommé par la révélation de sa femme, s'adressant à son sillage, pendant qu'un quidam fait irruption pour manifester une fausse compassion.

LION DE BANGOR. Reviens mon amour. Tu fais partie de la force qui me soutient.

LE QUIDAM. Et voilà comment on transforme un lion en chat domestique dégriffé, castré ! Quelle chute ! Quelle dégringolade sociale !

LION DE BANGOR, *qui n'entend rien.* Mon amour, mon inestimable amour, sans toi je tombe totalement en dehors de l'existence.

LE QUIDAM. Dans l'espace de quelques jours, vous êtes passé du rang d'un personnage important et estimé à celui d'un bouffon, mon cher ! Un amuseur publique.

LION DE BANGOR. Ne me laisse pas avec ce semblant de vie charnelle...

LE QUIDAM. Il faut laver votre honneur. Vous devez vous venger, docteur ! Connaissez-vous votre rivale ? C'est une femme, docteur. Un petit reste de fortune personnelle la rend indépendante d'un homme. Son nom est sur toutes les lèvres : H A R R I E T.

LION DE BANGOR. Reviens mon amour, reviens mon amour.

LE QUIDAM. L'autre jour, au cours d'un meeting aérien, devant des milliers de spectateurs, elle a mêlé la trajectoire de son avion à celle de l'avion de votre femme, docteur.

LION DE BANGOR. Reviens mon amour, reviens mon amour.

LE QUIDAM. Elle ne reviendra pas, docteur. Elles couchent ensemble et elles aiment ça ! Si vous pouviez vous regarder dans un miroir, docteur... Admirable ! Admirable ! Je vois quelqu'un qui va les abattre en plein vol !

Scène XVII

Le Lion de Bangor est seul dans son laboratoire. Une femme qui boite légèrement s'avance vers lui.

HARRIET. Je suis Harriet. Je sais, je sais, votre sommeil est peuplé de la vibration obsédante d'un moteur d'avion. Quand vous regardez là-haut, il y a toujours un avion dans le ciel. C'est comme si à tout instant, un avion décollait pour en rejoindre un autre. Oui, docteur, tout l'espace aérien est réservé à votre obsession. Pourquoi vouliez-vous que votre femme se consacre entièrement à vous, comme si vous seul et non la vie, donnait sens et valeur à l'existence ? Pourquoi l'avez-vous empêchée de poursuivre une recherche individuelle ? Non, docteur, elle ne retournera pas dans votre maison pour faire sonner la cloche domestique et pour vous apporter des os de moëlle à gruger ! On dirait que mon crâne rasé vous intéresse ? Que pensez-vous du contraste entre ma tête et ce corps inerte ? Vous avez raison, je suis en train de me retrancher des vivants. Cela nous fait quelque chose en commun... En plus d'aimer la même femme !

LION DE BANGOR. Nous n'avons rien en commun. Je suis vivant !

HARRIET. On dirait pourtant que vous êtes sur le point de mourir, docteur. Non de faim ou de maladie, mais d'abandon. C'est ainsi docteur : quand personne sur la terre ou sous la terre, ou dans le ciel ne se soucie de vous, on meurt de cette indifférence !

LION DE BANGOR. Allez-vous-en !

HARRIET, *ouvrant le manteau qui cachait ses jambes.* Je suis venue vous montrer ceci. Mon médecin qui est un homme prudent, parle de transformation cellulaire... Mais vous le grand spécialiste des cellules, qu'en pensez-vous?

LION DE BANGOR, *qui examine les jambes de Harriet.* Ce que j'en pense? Que c'est le plus beau jour de ma vie. Je ne peux pas vous parler autrement. Je vous haïs.

HARRIET. Vous avez perdu, soyez beau joueur.

LION DE BANGOR. C'est vous la perdante, Harriet. D'ici quelques mois, tout au plus, vous serez entre quatre planches de pin. À moins que vous ne préfériez la crémation?

HARRIET. Il ne reste pas grand chose à brûler du modèle original : on vient de me poser une plaque de métal sur la tête et j'en ai deux autres sur les tibias.

LION DE BANGOR. Rien ni personne ne pourra vous guérir.

HARRIET. Pendant des semaines, j'ai été bombardée par alpha, bêta, gamma. Mes cellules résistent à la radiation.

LION DE BANGOR. Mon diagnostic est sûr, il est trop tard.

HARRIET. Nous partons demain pour Atlanta.

LION DE BANGOR. Je déteste cette ville où tout le monde appartient à l'extrême-droite. Et ma fille?

HARRIET. Que feriez-vous d'un bébé? Elle part avec nous.

LION DE BANGOR. Ma fille éduquée par deux lesbiennes! Dites à ma femme que j'obtiendrai la garde de ma fille et que je ferai saisir l'avion.

HARRIET. Nous partons dans mon avion. Le vôtre est à l'abri dans un hangar : votre femme vous en fait cadeau !

LION DE BANGOR. Je vais demander le divorce. Elle n'obtiendra rien de moi.

HARRIET. Elle m'a demandé de vous dire qu'elle ne veut rien, sauf sa fille.

LION DE BANGOR. J'entends de terribles mots qui palpitent à l'intérieur de moi.

HARRIET. S'ils sont aussi meurtriers que vous...

LION DE BANGOR. Moi, meurtrier ? Vous avez tout détruit en détournant ma femme et ma petite fille de moi. J'ai été humilié publiquement. J'ai perdu la confiance de mes patients !

HARRIET. Vos patients ? Vous êtes un mauvais médecin, un médecin sans chaleur humaine, sans compassion. De plus vous êtes enveloppé dans une gangue d'égoïsme morbide, incapable d'aimer une femme pleine de vie, de force.

LION DE BANGOR, *soudain hors de lui, se met à frapper Harriet de plein fouet au visage, puis ensuite, essaie de l'atteindre aux jambes.* Sale goule cancéreuse !

HARRIET, *qui arrive tant bien que mal à échapper aux coups meurtriers du Lion de Bangor.* Tout doit s'expier docteur ! À Atlanta, nous habiterons chez mon amie Mary Lane... La seule femme juriste de la ville. Son nom est inscrit dans l'annuaire téléphonique.

LION DE BANGOR, *à Harriet qui sort.* Vous allez crever comme une chienne !

Scène XVIII

Scène cauchemardesque où les Entités des Abîmes, incarnant cette fois Mary Lane et son mari, s'adressent au Lion.

MARY LANE, *sarcastique.* Voici le Lion de Bangor : un mari, un père, une force brûlante tombée du ciel dans la boue !

LE MARI. Ma chère, il est à plat, comme une mare de sang sur une scène de théâtre !

MARY LANE. Je suis Mary Lane, la seule femme juriste d'Atlanta.

LE MARI, *très fier de sa femme.* Juriste et souveraine de l'Empire invisible du Ku Klux Klan.

MARY LANE. Votre femme et votre fille vont habiter chez-moi, docteur.

LE MARI. Répétez après moi : je jure de veiller sur la chasteté des femmes, de soutenir le patriotisme... *(Le Lion reprend la litanie en marmonnant).*

MARY LANE. Et de faire tout ce qui est en mon pouvoir pour maintenir la suprématie de la race blanche.

LE MARI. Je jure de travailler sans relâche à éliminer tous ceux qui répandent la saleté et le désordre !

MARY LANE, *remettant une torche au Lion pour qu'il allume une grande croix de bois.* Je vous ordonne d'illuminer cette ville !

LION DE BANGOR, *émergeant de sa torpeur.* Non ! Non ! Je suis prêt à tout effacer de ma mémoire. Tout ! Tout ! Pourvu que ma femme et ma fille ne mangent pas à la même table que le Ku Klux Klan! *(Il s'arrête, comme incapable d'aller plus loin dans son récit, Jeanne vient à sa rescousse à la fois pour l'aider et parce qu'elle veut en savoir beaucoup plus.)*

JEANNE. Après ce cauchemar, vous n'avez qu'une envie... Vous élancer dehors, sauter dans votre voiture à la poursuite de votre femme, de Harriet... *(Le Lion acquiesce.)* Vous roulez comme un fou vers le terrain d'aviation... Cette voiture est d'une lenteur répugnante... Vous arrivez trop tard... Au bout de la piste, il y a un biplan qui prend de la vitesse... Il décolle... Il prend de l'altitude... C'est bien l'avion de Harriet... Trop tard... Trop tard... Vous faites demi-tour... *(Regardant le Lion prostré.)* Non... Vous alliez faire demi-tour quand... quand vous voyez deux formes humaines jaillir dans l'espace... Arrachées de leur siège par une terrible turbulence... Des formes humaines tombent comme des paquets... *(Bruit d'écrasement, cri déchirant du Lion de Bangor.)* Pendant un bref instant, le biplan de Harriet a continué sa marche dans l'azur avant de piquer du nez... *(Bruit d'explosion. Sirènes des ambulances.)*

LION DE BANGOR. Ayez pitié : Mon Dieu, ayez pitié! Au plus cruel de ma colère, vous savez bien que je l'aime... Elle qui me ressemble tant... Mon étrange point d'appui. *(Hallucinée, la mère de Noria apparaît avec l'enfant dans les bras. Croyant voir un fantôme, le Lion de Bangor la touche, la palpe.)* Spectre... Apparition... Emmène-moi avec toi de l'autre côté du monde!

MÈRE DE NORIA, *ignorant le Lion, regardant le ciel, cherchant du regard un signe...* Harriet... Harriet... Les rondes... Les cercles... Les piqués.

LION DE BANGOR. Je deviens fou! Tu es vivante... Chaude... Mon amour!

MÈRE DE NORIA. Harriet... Elle aurait dû refuser... Harriet, aspirée par un tourbillon d'air... Tout ça à cause de l'homme pressé.

LION DE BANGOR. L'homme pressé? Quel Homme?

Scène XIX

L'homme essouflé est interprété par l'autre Entité des Abîmes.

L'AUTRE ENTITÉ DES ABÎMES. Madame! Ne partez pas avant que je sois baptisé! Mon baptême de l'air, évidemment. J'ai honte d'avoir tant tardé alors qu'un avion dans le ciel symbolise à mes yeux de piéton, le parfait ordonnancement entre la vitesse et le bruit, sur la scène de l'existence.

HARRIET. Monsieur, nous allions décoller. Nous sommes pressées...

L'AUTRE ENTITÉ DES ABÎMES. Moi aussi, madame l'aviateur, je suis pressé. Il y a en moi, cette tension vers le haut. J'ai toujours eu la tête dans les nuages.

HARRIET. Ce n'est pas une bonne journée pour un baptême dans l'azur. Aujourd'hui, il y a de mauvais courants d'air, monsieur...

L'AUTRE ENTITÉ DES ABÎMES. Si vous m'offrez ce don du ciel, en retour je vous offre ma reconnaissance éternelle et son expression matérielle! *(Il sort une liasse de billets de banque qu'il remet à Harriet.)*

HARRIET, *elle hésite, pèse le pour et le contre.* Cet avion me coûte une fortune. *(Touchant son corps.)* Et cet autre véhicule réclame de plus en plus de mécaniciens spécialisés dont les honoraires ne plafonnent pas! *(Elle entraîne l'homme pressé avec elle.)*

Scène XX

MÈRE DE NORIA. Harriet... Harriet... Comment une telle chose a-t-elle pu arriver? Je veux que tu reviennes, je veux la vie!

LION DE BANGOR, *qui veut l'enlacer.* Je ne pourrai jamais me rassasier de toi. Je veux que tu reviennes!

MÈRE DE NORIA, *le repoussant.* Harriet m'a raconté sa visite dans ton laboratoire. Tu me fais horreur! Tu n'es qu'une mouche inutile qui cherche son cadavre.

LION DE BANGOR. Ta vie avec elle était dépourvue de sens. Elle ne te menait nulle part... C'est moi que tu aimes. Je l'entends, je l'écoute à l'intérieur, parfaitement, distinctement, le chant de l'amour que tu me chantes. Je ne pourrai jamais entendre quelqu'une d'autre. Personne d'autre que toi. Je veux faire l'amour. À l'instant même.

MÈRE DE NORIA. Je te céderai par pitié. Je te céderai toujours par pitié. *(Elle sort.)*

Scène XXI

LION DE BANGOR. Ma femme s'est enfermée dans la salle de bain. Elle prend une douche... Pour se laver de ses souillures. Je me vois m'en aller en ruisseau... Je me mêle à la terre, je deviens vase, boue... Harriet est avec elle sous la douche, j'en suis certain. Avec ses mains de morte, elle la caresse, consolante, consolée. Dans une épopée, on mesure la force du héros à la taille des épreuves qu'il doit surmonter ! Plus il grandit, plus les obstacles semblent insurmontables. Mais, il grandit encore, les dépasse et en véritable héros, forge son destin ! Pour le commun des mortels, la vengeance est souvent un plat qui se mange froid. Pour le Lion de Bangor, c'est le devoir de riposter et de frapper avec la rapidité de l'éclair ! *(Il se dirige vers la morgue de Bangor. Il rencontre le préposé de la morgue qu'il interpelle.)* Monsieur !

LE PRÉPOSÉ AUX MORTS. Monsieur ?

LION DE BANGOR. Je connaissais la victime... Je viens pour l'autopsie.

LE PRÉPOSÉ AUX MORTS. La femme ? Visage écrasé, bras écrabouillés, jambes arrachées... On dirait qu'une grenade lui a fait éclater le sanctuaire ovarien de l'intérieur. Pour quelle raison cette autopsie ?

LION DE BANGOR. Cette femme souffrait d'un cancer et moi j'étudie cette maladie, comment elle agit sur les cellules et surtout comment le traitement que j'ai mis au point agit sur les tumeurs, la métastase...

LE PRÉPOSÉ AUX MORTS. La quoi ?

LION DE BANGOR. La métastase. C'est la façon dont le cancer voyage d'une partie du corps à l'autre.

LE PRÉPOSÉ AUX MORTS. Entre vous et moi, docteur... vous n'avez aucun projet d'ordre sexuel avec Elle ? Attention de ne pas attraper la métastase !

LION DE BANGOR. Ce n'est pas une maladie contagieuse.

LE PRÉPOSÉ AUX MORTS. Tut ! Tut ! Tut ! Avec ces porteuses de mamelles, on peut s'attendre à tout. Les gens s'imaginent que le travail du préposé aux morts consiste surtout à étiqueter les cadavres et à les emporter dans la salle réfrigérée de la morgue... s'il n'y avait que cela ! En plus, je suis forcé de me promener parmi eux et de les écouter... Les morts parlent beaucoup... les femmes surtout ! Ils parlent des vivants. Les vivants éveillent leur envie. Vous ne savez pas à quel point ils sont sournois les morts, docteur ! Ne croyez pas ceux qui vous disent qu'ils vont sous terre ou bien qu'ils disparaissent en fumée... Tut ! Tut ! Tut ! En vérité ils sont là, qui vous regardent tout le temps. Bon je vous laisse... J'étais en train de déjeuner. *(Il s'éloigne en sifflant « Viens poupoule ».)*

LION DE BANGOR. Harriet... dire qu'il y a à peine quelques heures tu étais la bête la plus dangereuse de mon royaume. Maintenant ton cadavre est la chose la plus rassurante du monde. *(S'emparant du cadavre, il le traîne comme un véritable lion traîne une proie trop lourde.)*

Scène XXII

Dans son laboratoire, le Lion de Bangor a travaillé toute la nuit. Quand la mère de Noria entre, il lui fait signe de s'approcher.

LION DE BANGOR, *à la mère de Noria.* J'ai quelque chose à te montrer.

MÈRE DE NORIA, *méfiante mais intriguée.* Tu as l'air bien fier de ton travail.

LION DE BANGOR, *qui a peine à contenir sa joie.* J'aimerais que tu jettes un coup d'œil sur cette plaquette.

MÈRE DE NORIA, *qui se penche au-dessus du microscope.* Qu'est-ce que c'est ? Des cellules sanguines ?

LION DE BANGOR. Une nouvelle culture de cellules ! À partir de cellules altérées par un manque d'oxygène, moribondes, j'ai réussi l'exploit de créer une nouvelle génération de cellules encore plus anarchiques, plus vampiriques que les cellules originales. J'ai, tout simplement, insufflé un peu d'oxygène. *(Faussement modeste.) Il fallait y penser. (Triomphant.)* C'est un exploit !

MÈRE DE NORIA, *avec un terrible pressentiment.* D'où viennent les cellules originales ?

LION DE BANGOR, *éludant la question.* Je vais consacrer mon temps et mes énergies à faire parvenir des échantillons de ces cellules cancéreuses aux laboratoires du monde entier. Ils vont les multiplier, contribuer à leur diffusion sur toute la terre. Peux-tu imaginer la croissance colossale des cellules...

MÈRE DE NORIA. Tu as prélevé des cellules sur le corps de Harriet ? *(Elle a un haut-le-cœur.)*

LION DE BANGOR, *triomphant.* J'ai détourné la mort... Harriet vivra éternellement dans ses cellules cancéreuses !

MÈRE DE NORIA. Tu es un esprit malade, complètement submergé par la haine. En tant que chercheur tu as une responsabilité envers l'humanité, envers la compassion la plus haute. Je pars avec ma fille : nous avons le droit d'échapper aux égoûts où ton existence s'est égarée. *(Elle part.)*

Scène XXIII

Nous revenons au temps du déroulement de la pièce avec Jeanne.

LION DE BANGOR. Après son départ, j'ai essayé de me persuader que Harriet était la cause de tout; que dans cette sordide histoire je n'avais été qu'un agneau qu'on avait forcé à se déguiser en loup pour remplir une mission de justice et de vengeance. Harriet ne me quittait plus... Le jour elle se pressait contre moi... La nuit elle forçait les portes de ma chambre avec sa meute de bêtes sauvages et ululentes!

JEANNE. Mais le temps a passé... Vous n'avez jamais tenté de rejoindre votre femme, votre fille?

LION DE BANGOR. J'étais paralysé par le poids de mes actes, de ma culpabilité. C'est à travers les journaux que j'avais des nouvelles de ma femme : sa vie était un chassé croisé d'exhibitions aériennes dangereuses et de meetings d'aviation. Progressivement, j'ai commencé à m'engager sur un autre chemin : j'ai fait de mon laboratoire le quartier général des greffes pour les grands brûlés. Je n'avais plus qu'une pensée en tête : la guérison! Une force guérissante basée sur ma propre guérison.
Puis, il est enfin arrivé, le grand jour... *(Il cache son visage dans ses mains pour pleurer.)*

JEANNE. Le grand jour? Lequel? Lequel?

LION DE BANGOR. Celui de la Réparation, Jeanne. Ce jour-là, inondé de conscience, j'ai reconnu ma cruauté, mes injustices, la folie de mes désirs, ma brutalité. Puis j'ai entendu une grande clameur : le cri de mort de ma femme!

JEANNE. Taisez-vous, Lion de Bangor. Je tremble de voir un homme du dedans.

LION DE BANGOR. Pour moi, le jour de la Réparation était arrivé trop tard ! Dans le ciel d'Atlanta, ma femme venait de heurter un pylone de plein fouet.

JEANNE, *comme une prière, une invocation.* Père, oh mon père, il y a en nous tant de faiblesses, d'aveuglement... Mais parfois nos yeux ouverts sont comme la flamme des feux du ciel. Père, aie pitié de tes enfants. Ne laisse pas les portes se refermer à jamais.

LION DE BANGOR. Dans le vieux cimetière d'Atlanta elle était enterrée sous une petite pierre tombale en marbre gris. J'aurais voulu m'étendre dans le trou avec elle. Plus tard, quand j'ai levé la tête, au loin, quelqu'un me regardait : c'était un ange de pierre, debout sur un socle, dans la lumière de cette matinée d'automne. J'ai pensé qu'il connaissait, toutes ces tombes, tous ces morts dans l'obscurité de la terre. Pour la première fois de ma vie, j'étais debout devant un ange. Il m'attirait, Jeanne, il m'attirait si fort...

JEANNE. L'Ange de la présence attire autant les oiseaux que les vieux esprits errants et désolés.

LION DE BANGOR. Je suis demeuré longtemps debout devant lui. Puis j'ai dit :

JEANNE. Père...

LION DE BANGOR. Où est-elle ?

JEANNE. Oh, mon père...

LION DE BANGOR. Où est ma fille?

JEANNE. Nous ne savons plus si nous sommes dignes d'amour...

LION DE BANGOR. Nous sommes de la même essence, du même sang. Rendez-la moi.

JEANNE. Père, quelle est donc la nourriture que tu tires de nous? Nous ne serons plus jamais des bêtes sauvages.

LION DE BANGOR. J'ai entendu une voix qui avait les intonations de ma femme me murmurer quelque chose... Puis, une autre voix qui avait les intonations de Harriet me souffler : genou à genou, pied à pied, tu avançeras avec l'Ange de la présence sur ton chemin... Tous les chemins sont éclairés...

JEANNE. Mais les chemins sont-ils tous éclairés? Cette épuisante circulation parmi les êtres et les choses...

Scène XXIV

Quelque part à Atlanta, un lieu de passage, l'amorce d'un escalier peut-être. Le Lion de Bangor rencontre la secrétaire de Mary Lane incarnée par une Entité des Abîmes.

LION DE BANGOR, *barrant la route.* Je veux rencontrer Mary Lane.

L'ENTITÉ DES ABÎMES, *nullement intimidée elle se dégage.* Elle est en voyage d'études. Je suis sa secrétaire. Que lui voulez-vous?

LION DE BANGOR. Lui poser des questions : ma petite fille est portée disparue.

L'ENTITÉ DES ABÎMES. Nous avons un cabinet d'avocat, pas une garderie. Adressez-vous à la police, section des personnes envolées !

LION DE BANGOR. Je l'ai fait. Depuis que je suis arrivé dans cette ville, je monte une pente interminable. Les escaliers du palais de justice, de la police, du clergé ! On me fait attendre, attendre encore, revenir sur mes pas des douzaines de fois comme pris dans une souricière.

L'ENTITÉ DES ABÎMES. Monsieur, dans la grande Amérique blanche, vous êtes ce qu'il y a de plus pitoyable : un homme qui pleurniche.

LION DE BANGOR. Votre patronne connaissait ma femme, elle connaissait Harriet.

L'ENTITÉ DES ABÎMES, *s'esclaffant.* Harriet? La femme de l'air? Tout le monde la connaissait à Atlanta. Comme elle a du vous terrifier, celle-là, hein?

LION DE BANGOR. À l'hôtel où j'habite, le téléphone me réveille plusieurs fois, chaque nuit...

L'ENTITÉ DES ABÎMES. Vous souffrez d'hallucination ! La nuit, dans cette ville, il n'y a pas de service téléphonique, espèce de vieux coq poltron !

LION DE BANGOR. Je décroche... J'entends une voix menaçante qui m'ordonne de quitter la ville sans délai sinon... Cette voix ressemble étrangement à la vôtre !

L'ENTITÉ DES ABÎMES. Vous êtes paranoïaque, délirant !

LION DE BANGOR. Mon laboratoire de Bangor a flambé ! Un incendie qui n'a rien épargné des recherches de toute une vie.

L'ENTITÉ DES ABÎMES. Je ne tiens aucun rôle dans votre scénario. Je ne suis qu'une secrétaire...

LION DE BANGOR. Je soupçonne Mary Lane d'être la souveraine de l'Empire invisible du Ku Klux Klan. Dans le premier hôtel où je suis descendu, après un avertissement téléphonique, un incendie s'est déclaré... Le deuxième hôtel aussi a pris feu...

L'ENTITÉ DES ABÎMES. C'est une extraordinaire coïncidence, n'est-ce pas? On dirait qu'à chaque fois qu'un feu éclate, vous êtes à proximité. Je me suis laissé dire qu'il y a des gens qui, par leur seule présence, déclenchent des incendies !

LION DE BANGOR, *menaçant, rageur.* C'est vous ! J'en suis sûr ! Je reconnais votre voix criminelle, la voix qui me menace la nuit ! *(Il s'avance vers elle.)*

L'ENTITÉ DES ABÎMES, *elle sort promptement une carabine à canon scié de son grand sac à main et l'appuie sur le cœur du Lion qui reste figé.* Baboum ! Vous tremblez? Il faudrait penser à faire soigner vos nerfs ! *(Parlant de la carabine.)* Elle me sert à tenir les fous à distance. *(Intimidant le Lion de Bangor, le faisant reculer.)* Baboum ! Vous êtes un porteur d'incendie... Vous poursuivez je ne sais quelle chimère torride que rien, rien ne peut apaiser. Vous asphyxiez ceux qui sont autour de vous... Vous dégagez des ondes de conflagrations qui finiront par transformer cette ville en brasier, puis en désert. Si vous avez encore un peu de respect pour la vie humaine, allez-vous-en ! *(Triomphante, sa carabine à la main elle chasse le Lion de Bangor.)* Baboum ! Baboum !

Scène XXV

Alors que le Lion de Bangor est encore sous le choc, un homme à l'attitude amicale se présente devant lui.

LE DÉTECTIVE D'ATLANTA. Je m'en allais boire quelque chose. Vous vous joignez à moi ?

LION DE BANGOR. Je n'ai pas soif.

LE DÉTECTIVE D'ATLANTA. Vous avez très soif. Il y a autour de vous, le tremblement d'une chaleur torride.

LION DE BANGOR. Qui êtes-vous, monsieur ?

LE DÉTECTIVE D'ATLANTA. Le meilleur enquêteur d'Atlanta.

LION DE BANGOR. Qu'est-ce qui vous fait croire que j'ai besoin d'un détective ?

LE DÉTECTIVE D'ATLANTA. C'est drôle comme ça fonctionne les prémonitions. Dès que je vous ai vu dans les couloirs du palais de justice, j'ai senti ma peau se contracter sur ma nuque. Je me suis dit, cet homme va se faire descendre. Depuis des jours, je me suis attaché à chacun de vos pas. Mais je ne suis pas le seul !

LION DE BANGOR. Si vous avez des connaissances en matière de démons, je vous engage. Je viens d'en rencontrer un.

LE DÉTECTIVE D'ATLANTA. Mary Lane !

LION DE BANGOR. Ce n'était pas sa secrétaire ?

LE DÉTECTIVE D'ATLANTA. Non. C'était Mary Lane en personne.

LION DE BANGOR. Dans cette ville, chaque souffle est poison mortel, chaque parole un mensonge, un signal d'incendie !

LE DÉTECTIVE D'ATLANTA. Ici, vous êtes à l'école : devant vos yeux, un sinistre tableau noir s'anime, celui de l'empire caché du Ku Klux Klan avec son mage impérial assisté de ses Grands cyclopes, de ses grands dragons, de ses hydres et autres agents recruteurs de la nuit qui par la persuasion, la menace ou le chantage, multiplient les nouveaux inscrits. Le Grand quartier général est ici à Atlanta. Les dirigeants sont despotiques, corrompus et riches à million !

LION DE BANGOR. Mais le jour, où se cachent-ils, tous ces klanistes ?

LE DÉTECTIVE D'ATLANTA. Pourquoi se cacheraient-ils ? Leurs expéditions nocturnes de flagellations, de castrations et de lynchage ne laissent sur leur peau aucune trace. Le jour, ils vous servent un repas, un verre de bière ou réparent votre voiture, vos dents.

LION DE BANGOR. Retrouvez-la ! Retrouvez-la !

LE DÉTECTIVE D'ATLANTA. Il me faut des renseignements supplémentaires sur votre fille. La couleur de ses cheveux, de ses yeux...

LION DE BANGOR. Cheveux clairs, yeux bleus... Où est-elle ?

LE DÉTECTIVE D'ATLANTA. Et sa mère : était-elle juive ? Catholique ? Immigrante ? Faisait-elle partie d'un syndicat ?

Était-elle antiraciste? *(Signe de dénégation du Lion à chaque question.)* Alors j'ai une chance de la retrouver.

LION DE BANGOR. Qu'en ont-ils fait?

LE DÉTECTIVE D'ATLANTA. Qu'en ont-elles fait? Ce sont les femmes du Klan uniquement, qui s'occupent des enfants et prennent toutes les décisions. Il y a peut-être autant de femmes que d'hommes dans le Ku Klux Klan.

LION DE BANGOR. Mais les femmes ont-elles du pouvoir?

LE DÉTECTIVE D'ATLANTA. Stone Mountain, ça vous dit quelque chose?

LION DE BANGOR. C'est un monument sinistre, taillé à même le roc des montagnes et qui représente, je crois, la cavalcade des généraux sudistes, esclavagistes...

LE DÉTECTIVE D'ATLANTA. Stone Mountain est le point de ralliement de tous les Klanistes d'Amérique. C'est là chaque année, le jour de l'Action de grâce, que le Ku Klux Klan célèbre sa résurrection. Et ce monument sinistre, comme vous le dites si bien, fut entièrement commandité par les Filles Unies de la Confédération, une des plus importantes associations du Klan.

LION DE BANGOR, *songeur.* Ku Klux Klan...

LE DÉTECTIVE D'ATLANTA. Il y en a qui disent que Klux est une altération de Lux, lumière. D'autres disent que c'est le mot grec Kuklos, cercle, qui les a inspirés. Je suis persuadé que ces trois K sont les initiales de Kill, Kill, Kill!

LION DE BANGOR. Monsieur le détective d'Atlanta, il me semble que vous en savez beaucoup.

LE DÉTECTIVE D'ATLANTA. Je suis un parfait obsédé. Adolescent, j'ai vu la servante noire que j'aimais comme une sœur et comme une mère, enlevée en pleine nuit par des gens en cagoule, qui portaient des torches. Une main potelée, aux ongles rouges bien manicurés, appuyait un gros calibre de la police sur la tempe de ma chère Sarah. La main qui lui a fait sauter la cervelle, ne tremblait pas. Quand je suis intervenu, ils m'ont écrasé les pieds avec la crosse de leurs carabines.

LION DE BANGOR. Vous allez mettre votre vie en danger pour ma fille, pour moi.

LE DÉTECTIVE D'ATLANTA. Le Ku Klux Klan est plus qu'un phénomène historique : c'est un ordre fraternel pour la propagation de la haine et une conspiration criminelle qui recrute des sadiques, des tueurs à gage. Il faut se dresser contre eux ! Je suis juste un peu plus fou et plus téméraire que les autres.

LION DE BANGOR. J'ai toujours cru que les détectives privés étaient des gens cyniques qui se méfient de tout et croient que toute histoire est, à priori, un mensonge qu'il faut percer à jour.

LE DÉTECTIVE D'ATLANTA. J'ai toujours pensé que les médecins étaient des gens froids, pénétrés de la certitude que la mort va finir éventuellement par tout arranger.

LION DE BANGOR. Cherchez-vous à savoir ce que veulent vraiment les individus qui viennent vous voir ?

LE DÉTECTIVE D'ATLANTA. Au-delà de ce qu'on me confie, je sais qu'il existe une réalité secrète et cruelle qu'on s'efforce inconsciemment de me cacher.

LION DE BANGOR. Que dois-je faire maintenant?

LE DÉTECTIVE D'ATLANTA. Vous devez retourner immédiatement à Bangor. Votre savoir-faire humain ou médical ne sert à rien à Atlanta.

LION DE BANGOR. J'ai sans doute compliqué inutilement votre tâche...

LE DÉTECTIVE D'ATLANTA. Je vais mettre toute mon expérience et mon intuition à votre service. Si votre fille est vivante, je la retrouverai.

Scène XXVI

Beaucoup plus tard, le Lion de Bangor revient à Atlanta dans le vieux cimetière où le détective lui a donné rendez-vous.

LION DE BANGOR. Je suis venu aussi vite que j'ai pu. Je dois vous avouer que plus le temps passait et plus je doutais de votre persévérance et de votre pénétration. Dans le vieux cimetière d'Atlanta, les morts montent la garde. Elle n'est pas parmi eux, hein?

LE DÉTECTIVE D'ATLANTA. Elle est vivante. Je l'ai retrouvée dans un bordel réservé exclusivement aux chemises brunes du parti fasciste américain. *(Au Lion qui chancelle.)* Agrippez-vous à mon bras!

LION DE BANGOR. Pourquoi? Pourquoi?

LE DÉTECTIVE D'ATLANTA. Parce qu'ils sont nocifs, qu'ils aiment exercer la pire violence sur les autres...

LION DE BANGOR. Je veux entendre la vérité !

LE DÉTECTIVE D'ATLANTA. Le Klan connaissait l'histoire lesbienne de sa mère... de votre femme et de Harriet...

LION DE BANGOR. Et vous ?

LE DÉTECTIVE D'ATLANTA. Je connaissais Harriet...

LION DE BANGOR. Je suis confondu... C'est comme si je contemplais le long processus du destin...

LE DÉTECTIVE D'ATLANTA. Harriet aurait dit la même chose. *(Très tendre.) Elle avait une étonnante connaissance des événements.*

LION DE BANGOR. Vous l'avez aimée ?

LE DÉTECTIVE D'ATLANTA. Quand je la regardais, toutes mes émotions se soudaient ensemble et c'était à chaque fois, un moment de grâce et de détresse. Elle avait alors plusieurs années de plus que moi et j'étais un adolescent romantique qui ouvrait son être à la beauté du monde. Elle m'a repoussé en faisant en sorte que je ne sois pas à jamais blessé par son refus.

LION DE BANGOR, *confus.* Mais Harriet... le Ku Klux Klan... J'avais imaginé une alliance...

LE DÉTECTIVE D'ATLANTA. Harriet les vomissait ! Les Klanistes l'appelaient la négresse et sa tête était mise à prix !

LION DE BANGOR. Mary Lane ! Nous allons habiter chez Mary Lane !

LE DÉTECTIVE D'ATLANTA. Elle vous a dit cela par pure dérision. Pour se venger sans doute...

LION DE BANGOR, *atterré.* J'ai laissé derrière moi un champ dévasté...

LE DÉTECTIVE D'ATLANTA. Aujourd'hui, vous vous tenez près d'une des intersections profondes de votre champ de bataille...

LION DE BANGOR, *intuitivement.* Vous ne me dites pas tout à propos de ma fille, n'est-ce pas?

LE DÉTECTIVE D'ATLANTA. Son corps porte la trace d'une maternité. Selon mes sources, l'enfant était un garçon...

LION DE BANGOR. Était? Il est mort?

LE DÉTECTIVE D'ATLANTA. Je ne connais pas la vérité : il y en a qui disent que les femmes du Klan lui ont arraché l'enfant après sa naissance pour le donner en adoption à une des familles du Klan. D'autres disent que votre fille a tué l'enfant...

LION DE BANGOR. Noria n'est pas une meurtrière... Et même si elle l'était. *(Au détective qui s'éloigne.)* Où allez-vous?

LE DÉTECTIVE D'ATLANTA. La chercher. Elle attend dans ma voiture.

LION DE BANGOR, *angoissé.* Non! *(Le détective revient sur ses pas.)* Excusez-moi... C'est un cri d'appréhension! *(Le détective s'éloigne et le Lion reste seul...)* Noria, je suis ton père... Tu dois te demander à quoi ça sert... Ou si ça existe l'amour entre un père et sa fille? Je n'ai pas de réponse... Mais je t'aime... Je t'aime tant...

Scène XXVII

Nous sommes toujours dans le cimetière d'Atlanta. Le détective apparaît avec Noria, plus jeune mais déjà très abîmée. Puis il se retire.

LION DE BANGOR. Noria... C'est toi...

NORIA. Qui êtes-vous?

LION DE BANGOR. Je suis... On m'appelle le Lion de Bangor. Je suis... Je suis venu pour t'aimer.

NORIA. Vous êtes un client? *(Pour elle-même.)* Il faut que j'échappe à cette douleur.

LION DE BANGOR. Je suis ton père, Noria. Tout ce que je n'ai pas su faire pour toi, par aveuglement ou par lâcheté, à présent je le ferai. Avec moi, tu es en sécurité. *(L'Entité des Abîmes, sous les traits de Mary Lane, surgit brusquement.)*

L'ENTITÉ DES ABÎMES, *à Noria, montrant le Lion.* C'est l'Ange exterminateur : il donne la mort à des corps en danger de mort!

LION DE BANGOR, *à Noria.* Je suis ton père. Je suis venu pour t'aimer!

L'ENTITÉ DES ABÎMES. C'est un dangereux chien de chasse. Quand il prend un gibier, il en répand le sang partout.

NORIA, *pour elle-même, tremblante.* Il faut que j'échappe à ce danger.

LION DE BANGOR, *s'approchant de Noria.* Je ne te ferai aucun mal.

L'ENTITÉ DES ABÎMES. Le chien de chasse est un acrobate. Il se rapproche de ta gorge. Il va te sucer les os jusqu'à la moëlle ! C'est lui qui prépare tous les squelettes pour le musée des Abîmes.

LION DE BANGOR, *tassant l'Entité des abîmes.* Pourquoi ne réponds-tu pas à ton père ?

L'ENTITÉ DES ABÎMES, *à Noria.* Quand un homme te menace, que dois-tu faire ma petite putain des catacombes ? *(Au Lion de Bangor).* Nous lui avons appris à dispenser les béatitudes des égoûts !

NORIA, *lubrique, très professionnelle, elle s'approche du Lion de Bangor pour le dévêtir de son pantalon.* Je sais tout faire... Vous pouvez m'humilier... Ou me vénérer... *(Le Lion la repousse.)* M'injurier, me marteler !

LION DE BANGOR. Tu es ma fille et tu n'es plus seule. Nous sommes dans la plénitude de l'été pour la plus belle rencontre...

L'ENTITÉ DES ABÎMES. Il ment !

LION DE BANGOR. À partir de maintenant, tu ne seras jamais plus obligée d'accomplir les gestes de la servitude.

L'ENTITÉ DES ABÎMES. Il t'a abandonnée, désertée !

NORIA. Il faut que je me réchauffe.

LION DE BANGOR. Tu as le même regard que ta mère, la même brisure dans l'expression...

NORIA. Il faut que j'échappe à cette douleur...

L'ENTITÉ DES ABÎMES, *s'emparant de Noria.* Retourne là-bas, ma petite raie des profondeurs. Les goufres sont bons pour toi !

NORIA. Je vois des âmes errantes qui passent en tourbillonnant. Elles mettent des plaques dures comme du silex sur ma peau... On dirait des écailles... Une gelée me couvre le corps...

L'ENTITÉ DES ABÎMES. Oui... Oui... Mon petit trésor... Tu es dans mon puits...

LION DE BANGOR. Tu es sur la terre Noria, pour une réaffirmation de ton être ! Je ne te ferai jamais de mal, ni de destruction d'aucune sorte, dans toute l'étendue de ta nouvelle vie.

L'ENTITÉ DES ABÎMES. À chaque instant qui passe, tu descends un peu plus de l'autre côté ténébreux du monde. Adieu... Adieu...

LION DE BANGOR. Noria, ne me refuse pas ton regard, ton pardon...

L'ENTITÉ DES ABÎMES. Ce chien t'a abandonné sous un soleil qui brûle jusqu'à l'os. Qui rend aveugle. Retourne au fond du puits !

NORIA, *à son père.* Je suis une taupe prise au piège des éboulements de son terrier.

LION DE BANGOR. Il y a cette chose autour de toi qui agite ses grandes ailes putrides. Elle veut te garder prisonnière dans son réservoir de déjections.

NORIA. Il faut que j'aie des nouvelles de ma mère.

LION DE BANGOR. Sa tombe est là-bas... Elle sert de cible au mauvais temps depuis des années pourtant elle se dresse encore comme les épaules de ta mère, dans la lumière immense.

NORIA. Ma mère... Ma mère...

L'ENTITÉ DES ABÎMES. Jour après jour, il a lynché ta mère avec sa jalousie, sa rancœur!

LION DE BANGOR. Elle ne supportait pas les êtres entravés. Sa force reposait sur une absence absolue de crainte. Elle aimait répéter que ce n'était qu'un commencement et que toi, sa fille, tu verrais, des prodiges et des merveilles...

NORIA. Des prodiges dans le ciel... Il faut que je retouve ce que j'ai perdu...

LION DE BANGOR. Ta mère est en paix. Elle est partie se déployer ailleurs.

NORIA. Je suis trop faible...

LION DE BANGOR. Tu es ma petite fille... Les chutes d'eau s'immobilisaient, les nuages reculaient au passage de ta mère tenant ma petite fille dans ses bras. Quand tu tendais tes petites mains vers moi, je m'embrasais. Aujourd'hui encore, tu me prouves ma propre vie.

NORIA. Si la pluie se mettait à tomber, tout serait emporté par le déluge... Après...

LION DE BANGOR. Après il y aurait surabondance de vie! Il y a longtemps, bien avant que je rencontre ta mère, j'ai entendu au-dessus de moi un son ailé et joyeux. Une voix d'enfant, de petite fille... Elle réclamait quelque chose. Elle me demandait d'accomplir son désir. Je ne savais pas encore qui tu étais, mais le son de ta voix me hissait jusqu'à ce lieu où l'amour se dévoile.

NORIA. Je me souviens de mon arrivée sur la terre... au pays des neiges. J'en supportais mal l'air froid. Pénétrant par une large fenêtre, la clarté de l'hiver et un visage d'homme, avec des yeux brillants. J'ai éprouvé de l'étonnement et de la curiosité...

L'ENTITÉ DES ABÎMES. Le chien de chasse trame quelque chose !

NORIA. Puis j'ai craint que cette bête et son énergie m'absorbent.

LION DE BANGOR. N'aie pas peur. Je suis devenu un homme assoiffé de réparation. Je veux te montrer la beauté de la terre, t'emmener en forêt... *(Le détective d'Atlanta revient d'un pas pressé.)*

LE DÉTECTIVE D'ATLANTA. Il faut partir. Le Ku Klux Klan rôde autour !

L'ENTITÉ DES ABÎMES, *à Noria.* Mon petit trésor...

NORIA. Je ne serai jamais libre...

LE LION DE BANGOR. J'ai appris à faire des bonds magnifiques. Je te mènerai là où les vieux fantômes vont perdre notre trace.

L'ENTITÉ DES ABÎMES. Comme j'aime voir cette expression d'épouvante, mon petit trésor.

LE LION DE BANGOR, *confiant Noria au détective qui quitte le cimetière. Le Lion de Bangor s'adresse à l'Entité des Abîmes.* Je vous ai tant appartenu. J'ai accepté d'accomplir toutes les injustices, je vous ai obéi en tout. C'est fini. Je vais veiller sur ma fille comme on veille sur un trésor.

L'ENTITÉ DES ABÎMES, *enjouée et sifflante.* Je vais te manquer... Je vais te manquer... Je finis toujours par triompher!

LION DE BANGOR. Je vais te dire où se situe ta véritable défaite : c'est qu'en définitive, tes plus infâmes incitations au mal et tes desseins les plus abjects s'intègrent, à ton insu, dans l'inépuisable création du monde. *(Il sort.)*

L'ENTITÉ DES ABÎMES, *violente, répétant son geste meurtrier.* Baboum! Baboum! Baboum!

Scène XXVIII

Quelques mois plus tard dans le laboratoire de fortune du Lion de Bangor.

LION DE BANGOR, *au détective qui fait son entrée.* J'appréhendais votre visite. Noria n'est pas avec vous? Elle n'est plus avec vous?

LE DÉTECTIVE D'ATLANTA. Ce court séjour à Atlanta a quand même été bénéfique.

LION DE BANGOR. Quand elle m'a téléphoné de votre résidence hier soir, elle avait une voix étrange, avec des halos, des échos...

LE DÉTECTIVE D'ATLANTA. Votre sonar fonctionne bien : votre fille est un tout petit poisson qui chasse les requins des grandes profondeurs. Elle a de la compagnie. Quelqu'un d'autrefois au bordel. Elle l'a croisé dans la rue et ce type lui raconte tout ce qu'elle veut entendre à propos de son fils. Je lui ai dit la vérité : son fils est mort.

LION DE BANGOR. Où est Noria?

LE DÉTECTIVE D'ATLANTA. Je suis allé la reconduire à l'aéroport. Elle m'a demandé de lui acheter un billet pour une ville de la Côte Ouest et un peu d'argent. Je ne pouvais pas vous annoncer cette nouvelle au téléphone. Elle m'a laissé un message pour vous : à partir de maintenant, elle va essayer de vivre avec tout ce qui est né d'elle-même, de vous et de sa mère.

Scène XXIX

Dans cette scène, Jeanne est de retour mais un peu en retrait encore. Noria sera là itou mais sous forme d'apparition.

LION DE BANGOR. Presque un an après son départ, j'ai reçu un petit mot : travaillant la nuit, le jour elle prenait des leçons de pilotage. Bien tendrement, Noria. Et par un magnifique après-midi, sous un soleil de feu...

NORIA, *de retour de son voyage.* Dans mon cœur, j'ai pris des engagements. Sur la Côte Ouest s'amorcent des actions de protestation pour dénoncer les tortures qu'on inflige aux bêtes dans les laboratoires. Je veux aller plus loin : je veux soustraire les bêtes à leurs bourreaux.

LION DE BANGOR. Tu veux entreprendre une action clandestine ? Déjouer des gardiens, des cadenas ?

NORIA. Il y a des risques.

LION DE BANGOR. Alors il te faut un moyen de transport. *(Il entraîne Noria devant une fenêtre imaginaire.) C'est l'avion de ta mère. Je l'ai fait remettre à neuf. Noria, cet avion est à toi. (Noria sort après avoir serré son père dans ses bras.)* J'ai défoncé des portes, brisé des fenêtres, arraché des barreaux aux cages, dans l'accomplissement de la volonté de ma fille. Ce fut un temps exceptionnellement heureux pour moi... Pour elle, c'était un bonheur plein d'ombres... À force d'aller et de venir, de tourner dans l'air, d'atterrir dangeureusement... Toutes ces empreintes de pattes sanglantes dans l'avion... Les boîtes de sang, les hurlements, les râlements d'agonie... Jeanne, pendant toutes ces années, j'ai attendu, j'ai espéré qu'elle partage son secret avec moi.

JEANNE. Le secret de Noria... Le terrible secret de Noria à propos de la disparition de son fils...

LION DE BANGOR. Les femmes du Klan ne l'ont jamais donné en adoption ! Elles l'ont livré à des expérimentateurs... Il est mort des suites d'une immersion dans l'eau... Une expérience pavlovienne... Ce n'était qu'un bébé parmi tant d'autres enfants abandonnés, rejetés, ou handicapés mental et le Ku Klux Klan n'était pas le seul fournisseur de ces laboratoires. Maintenant, vous savez tout Jeanne.

JEANNE. Noria... Si je pouvais effacer sur l'ardoise du temps tous les rôles que je t'ai assignés. Tantôt je te regardais comme une image idéale, tantôt j'étais aveuglée par les clichés du désir. *(Vers le Lion.)* Lion de Bangor, je ne dors plus la nuit... J'ai peur... L'obscurité porte cette peur a sa puissance maximum... J'entends quelque chose de sauvage et de meurtrier...

LION DE BANGOR. Jeanne, quel est votre secret?

Scène XXX

Jeanne reçoit à son tour, la visite de l'Entité des Abîmes.

JEANNE, *au Lion de Bangor.* Les mots des autres peuvent nous réduire en servitude, nous avaler... Je me souviens de la première femme que j'ai aimée, avec qui j'ai habité.

L'ENTITÉ DES ABÎMES, *qui tient entre ses mains les feuillets du roman de Jeanne, les parcourt en hochant la tête, désapprobatrice.* Ce que tu écris est minable! Ce n'est pas possible. Quand cesseras-tu de commenter tes petits bobos!

JEANNE, *blessée, secouée.* Ce sont des déchirements intérieurs... C'est l'ouverture par laquelle je me déverse dans le monde, que je transforme mes pires ennemis intérieurs!

L'ENTITÉ DES ABÎMES. La femme de ton roman n'est pas une vraie femme! Elle n'est pas infantile... Ce n'est pas une furie ou une peste qui appelle le viol, le meurtre!

JEANNE. Elle sombre corps et âme mais en restant fidèle au principe de la solidarité humaine.

L'ENTITÉ DES ABÎMES. Je n'ai que faire de tes états d'âme!

JEANNE. La prestigieuse revue littéraire que tu diriges n'a que faire de la création, de la prospection!

L'ENTITÉ DES ABÎMES. De ta création Jeanne! C'est la modernité qui nous intéresse.

JEANNE. L'os sans chair de la modernité! Le jargon arrogant...

L'ENTITÉ DES ABÎMES. Ton intransigeance te rend peu agréable...

JEANNE. Nous sommes en train de perdre ce rapport d'amour et de confiance...

L'ENTITÉ DES ABÎMES. Parce que tu refuses d'évoluer. Notre relation est un échec.

JEANNE. Quand je t'ai rencontré, mes espoirs étaient grands. Ils le sont toujours.

L'ENTITÉ DES ABÎMES. Ce que tu écris est minable! Tu es chez moi, dans ma maison. Va-t-en!

JEANNE, *désemparée, humiliée.* Mais où irais-je dans cette nuit d'hiver? Je n'ai ni argent, ni vêtements chauds...

L'ENTITÉ DES ABÎMES. C'est bien simple, tu me donnes envie de retourner baiser chez les hommes! Va mendier ailleurs. Dehors!

JEANNE. Je suis partie... De mon pas indigne et désorienté. Puis, quelque chose d'extraordinaire, qui avait la force du destin, m'a fait rencontrer une autre femme... Je suis allée vers elle parce que je savais qu'elle pouvait tout apaiser, même la douleur d'avoir été chassée de chez-moi comme une mauvaise odeur. Une femme qui en quelques instants révélait toute sa beauté, sa bonté. Des années de bonheur... Mais une nuit... j'ai fait ce rêve : je vis un essaim d'abeilles se poser sur les lèvres de la femme que j'aimais. Se poser et s'envoler en bruissant, tisserandes d'un fil d'or... la femme que j'aimais avait des enfants cachés, des enfants qui dormaient. Oui, oui, je comprends, je sais qu'elle veut des enfants avec leurs petites mains gesticulatrices et leurs yeux dorés. Des enfants qui vont sauver le monde. J'ai fait mes valises et je suis partie.

LION DE BANGOR. Pourquoi êtes-vous partie?

JEANNE. Je suis une vocation qui s'entête à marcher seule, sans laisser la moindre empreinte génétique.

LION DE BANGOR. Vous habitiez déjà les Appalaches?

JEANNE. Montréal. J'habitais surtout une petite notoriété littéraire n'intéressant que les intéressés. Mais pour la conserver, j'ai fait ce qu'il fallait faire. Montréal, où j'ai vécu enfoncée à mi-flanc dans la peur. J'habitais ce continent culturel qui fait penser à une cité minière: chacun et chacune creuse son trou, hurlant le nom de son filon et ses droits de propriétaire. Ce qui est fascinant des milieux de la culture, c'est le parasitisme mutuel. Tout le monde traite tout le monde sur un pied d'égalité : c'est-à-dire comme un décor. Le décor de son propre ego. Les gens se parlent sur un ton d'insulteurs à gage. Un jour que je creusais férocement mon trou, ma pioche a fait éclater le corps momifié d'un écrivain oublié depuis longtemps et réduit à la fine proportion de la peau sur les os. C'est une véritable force d'explosion qui m'a balayée hors de la ville minière.

Je suis partie rejoindre une petite communauté des Appalaches, fondée par ma chère vieille garde lesbienne montréalaise. Cette vieille garde se composait surtout de bibliothécaires, d'infirmières, d'institutrices... Des amies, une ancienne amante, pour qui j'éprouvais un grand sentiment de tendresse. C'est une région étrange, où les lacs sont tous sillonnés par les huarts à collier, ces oiseaux un peu fous qui parlent à la lune, répondent aux coyotes et lancent des cris d'avertissement avant les tempêtes de neige et les blizzards.

Une autre nuit, j'ai fait un rêve étrange : à l'instant où j'allais m'abandonner au sommeil, j'ai entendu distinctement une voix prononcer mon nom avec une intonation suave et irrémédiable...

Puis je suis agrippée par derrière, lacérée par des griffes. Ensuite je suis dépecée, dépouillée de ma chair. La voix me montre mon cadavre pendant qu'on me juge. Quelqu'un pèse mes actes bénéfiques dans une balance avec des cailloux blancs... les autres avec des cailloux noirs.

Je me suis réveillée dans un état de stupeur, avec une envie : m'habiller et sortir dehors pour chercher des yeux une étoile filante afin de faire le vœu de rendre à chacun, à chacune, ce que j'ai pu lui prendre. Je fais le serment d'assumer mes peines et mes souffrances comme si tout était le fruit de mes propres actes. J'ai marché sur le sentier des Appalaches, vers les fumées qui sortaient encore des cheminées des maisons de la vieille garde. J'allais frapper à une porte quand j'ai entendu des bruits alarmants qui jaillissaient des murs... On dirait des coups... Des cris de douleur...

L'Entité des Abîmes survient comme pour faire taire Jeanne, tout désamorcer.

L'ENTITÉ DES ABÎMES. La scène se jouait dans l'ombre... Tu n'as rien vu.

JEANNE. J'ai entendu... Quelqu'une déplace des meubles...

L'ENTITÉ DES ABÎMES. Le mieux est de prendre rapidement la fuite !

JEANNE. C'est ce que j'ai fait. Je me suis enfuie sans ouvrir la porte, avec cette scène sur mes talons.

L'ENTITÉ DES ABÎMES. Il faut oublier... Oublier...

JEANNE. Non ! Une femme bat une autre femme en lui obstruant la bouche pour l'empêcher de souffrir à voix haute. Et je n'ai rien fait, je me suis laissée couler vers les tréfonds de ma couardise. C'est tellement réconfortant d'être épargnée dans un monde peuplé de gens pleins de tact qui n'entendent rien, qui ne voient rien. J'en ai voulu au monde entier... Avec la haine que l'on porte à ceux qui violent votre secret le plus cher : celui de votre lâcheté. Le destin survient toujours à la fin pour nous balayer, nous écraser de sa puissance...

LION DE BANGOR. Puis il nous remet dans le monde où il nous entraîne dans la fuite précipitée de l'existence. Et nous rions et nous pleurons et nous vivons de nouvelles extases et nous nous affligeons encore.

JEANNE. Maintenant je sais que jamais vous n'auriez cherché à détruire ou même à affaiblir le sentiment qui me liait à cette sœur inexplicable...

LION DE BANGOR. L'impulsion qui nous pousse les uns vers les autres, c'est sur la Terre, l'envolée la plus haute dont nous sommes capables. *(On entend la musique des hélices, le son d'un avion.)*

JEANNE. Est-ce le vent qui nettoie le ciel de ses tempêtes ?

LION DE BANGOR, *se penchant sur le lit de sa fille.* C'est la mort.

JEANNE. Noria est entraînée avec toute sa beauté, vers quelque chose qui commence là-dehors, à danser une danse de corps célestes avec la neige. Elle va entrer dans les nuages où repose ce qui n'existe pas encore à nos yeux.

LION DE BANGOR. Bientôt il n'y aura plus de traces et tout recommencera à neuf, avec un amour désintéressé. Que regardez-vous Jeanne ?

JEANNE. Le petit avion au bord de l'étang. Il est beau comme une épopée qui serait passée dans nos âmes pour nous rapprocher les uns des autres.

LION DE BANGOR. Il est beau comme un sentiment de confiance. *(Le Lion de Bangor s'éloigne, laissant Jeanne seule.)*

JEANNE. Bientôt, il n'y aura plus de traces et tout recommencera à neuf, avec un amour désintéressé. C'est clair et inexplicable.

Étang-aux-Oies
solstice d'hiver 92

TABLE DES MATIÈRES

Achevé d'imprimer
en mars 1993 sur les presses
des Ateliers Graphiques Marc Veilleux Inc.
Cap-Saint-Ignace, Qué.